Rachel Hawkes

Michael Spencer

ALWAYS LEARNING

PEARSON

Published by Pearson Education Limited, Edinburgh Gate,
Harlow, Essex, CM20 2JE.

www.pearsonschoolsandfecolleges.co.uk

Edited by Harriette Lanzer
Typeset by Kamae Design

Illustrated by KJA Artists, Beehive Illustration (Clive Goodyer) and John Hallett

First published 2014

19
11

British Library Cataloguing in Publication Data
A catalogue record for this book is available from the British Library

ISBN 978 1 447 93522 3

Printed in Great Britain by Ashford Colour Press Ltd.

All audio recorded at Alchemy Post for Pearson Education Ltd
With thanks to Rowan Laxton at Alchemy Post and Camilla Laxton at Chatterbox voices, Britta Gartner, Walter Bohnacker and our cast (Leon Glitsch, Johannes Kräulte, Franziska Wulf, Hannah Robertson and Alice Andreica).

Background music from Audio Network, Igor Dvorkin & Ellie Kidd, Gareth Johnson.

Songs recorded at Alchemy Post for Pearson Education Ltd; composed and arranged by Charlie Spencer of Candle Music, except for "Der Vielseher", music Trad., arrangement by Charlie Spencer of Candle Music. Lyrics by Michael Spencer.

Acknowledgements

The authors and publishers would like to thank Karin Bröse for her contribution to Chapter 5, unit 5.

adidas, the Trefoil Logo and the 3-Bars Logo are registered trademarks of the adidas Group, used with permission.

The author and publisher would like to thank the following individuals and organisations for permission to reproduce photographs:

(Key: b-bottom; c-centre; l-left; r-right; t-top)

Adidas: 116 (c); Alamy Images: Allstar Picture Library 29 (Franka Potente), Andrew Bain 16 (d), Aram Kostanyan 82 (2), Arterra Picture Library 16r (h), B&Y Photography 82 (5), Blend Images 62tl, blickwinkel 49 (reading), Caro 50 (c), Catchlight Visual Services 12 (f), Curtseycs 82 (6), David Davis Photoproductions RF 16l (h), DK 124 (a), dpa picture alliance 116b (b), funkyfood London - Paul Williams 72 (treacle sponge), Hemis 95 (mining museum), Ian Shaw 11 (a), imagebroker 82 (1), 82 (3), 82 (4), 116t (b), 117 (g), J.R. Bale 50 (b), Jack Hinds-Travel 11 (f), Jeremy Sutton-Hibbert 29 (Arnold Schwarzenegger), Julie Woodhouse f 52 (a), MBI 72 (jam roly poly), 72 (jam roly poly (2)), Peter Stroh 28 (b), 32 (f), 82tr, 84 (c), 94 (youth hostel), Picade LLC 62tr, Prisma Bildagentur AG 84 (d), Radius Images 119tr, Rick Piper Photography 51, Simon Reddy 72 (apple crumble), Tammy Abrego 5 (b), 15 (b), 26 (a), Thomas Lehne / lotuseater 9 (d), Tim Hill 73 (e), TIPS Images / TIPS Italia Sri a socia unico 49 (Swiss railway); Corbis: dpa / Schnoerrer 116 (Adi Dassler), Lebrecht Music & Arts / L. Birnbaum 118 (Vivienne Westwood), Peter Klauzner 85c, Peter Schneider 84 (b), Rubberball / Jason Todd 97 (5), 119tl, Wilfried Krechichwost 19; Datacraft Co Ltd: 106 (d); DK Images: Dorata & Mariusz Jargmowicz 11 (e), Lucy Claxton 82 (9), Lynne McPeake 5 (a), 10 (c), Tony Souter 74 (airport shops), Will Heap 73 (f), William Reavell 56 (1), William Shaw 72 (summer pudding); Fotolia.com: Alain Wacquler 56 (onions), Alexandra Karamyshev 98 (g), antbphotos 50 (d), Arochau 95 (toboggan), auremar 8tl, Barbara Pheby 57 (Flammkuchen), BEAUTYof LIFE 98 (k), benuch 86 (canoes), creatix 52 (g), dim@dim 98 (b), duckman76 43r, Fotimmz 94 (Alster), Hendry Czauderna 84 (a), Jacek Chabraszewski 86 (cycling), Joe Gough 73 (b), jogyx 5 (f), Katja Jentschura 82 (7), krsmanovic 9 (e), 10 (d), Laurent Hamels 111, Mat Hayward 85t, Max Topchil 119br, Michael Grey 56 (5), Michael Schütze 74 (airport queue), Monkey Business Images 72 (baked Alaska), Natis 74 (passport), Nbina 15 (a), Nikolai Sorokin 74 (train carriage), Nolte Lourens 106 (f), PhotoSG 54 (6), printemos 52 (f), sabphoto 15 (3), Sea Wave 56 (cream), silencefoto 52 (b), snaptitude 27 (kite surfing), thampapon1 108bl, Tostislav Zotin 94 (Zoo), tuniz 12 (a), Vibe Images 5 (c), Volker Witt 97 (4), 118l, Voyagerix 75 (Coins); Getty Images: AFP / Roberto Schmidt 9 (a), Arsenal FC 41 (Arsène Wenger), Axiom / Photographic Agency / Chris Parker 86 (toboggan), E+ / David Freund 81 (c), FIFA / Steve Bardens 116 (a), 117 (c), Getty Images Entertainment / Dominik Bindl 28br, Getty Images Entertainment / Luca Teuchmann 28 (d), Getty Images Entertainment / Mathis Wienand 28 (a), 28 (e), Getty Images Entertainment / Peter Wafzig 32 (g), Hulton Archive / Keyston 117 (d), Hulton Archive / RDA 118 (Pierre Cardin), Iconica / Philip & Karen Smith 26 (b), PhotoDisc / Scott Kleinman 96 (a), Popperfoto 117 (b), Popperfoto / Bob Thomas 117 (h), Redferns / GAB Archive 29 (Marlene Dietrich), Slivincki Photo / Workbook Stock 124 (f), Stockbyte 13, Stu Foster 116 (e), The Image Bank / Doug Allen 26 (c), The Image Bank / Dream Pictures 32 (e), Time & Life Pictures / Frank Scheisdel 118 (Miles van der Rohe), Ulrich Baumgarten 49 (car plant), WPA Pool 61 (Tom Daley); Glow Images: Image Source / Anja Boxhammer 31; Imagestate Media: John Foxx Collection 15 (f), 26 (e); Karin Brose: 106b; Masterfile UK Ltd: 5 (g), 125, Aurora Photos 27 (skydiving), RK 124 (d); MIXA Co., Ltd: 49 (author); Pearson Education Ltd: Coleman Yuen 12 (c), 16 (e), 94 (coach), Gareth Boden 10 (f), 15 (1), 15 (c), 99 (b), 106 (e), Jon Barlow 43l, 49 (Man), 99 (c), 106 (c), Jörg Carstensen 9 (f), 54 (1), 54 (10), 54 (11), 54 (12), 54 (2), 54 (3), 54 (4), 54 (5), 54 (7), 54 (8), 54 (9), 55, 56 (2), 56 (3), 56 (4), 56 (6), 56 (7), 56 (8), 62 (a), 62 (b), 62 (c), 62 (d), 62 (e), 76, 79, 81 (b), 94 (Miniaturwunderland), 104, Jules Selmes 10 (a), 16 (a), 33, 50 (a), 74 (train), 75 (car), Justin Hoffmann 64-65, MindStudio 16 (f), 16t, 108tr, Studio 8 74 (camera), 106 (a), 106 (b), Volker Hansen 81 (a), 100 (Audrey), 100 (Mesut), 103, 105l, 105r; PHANTASIALAND, Schmidt-Löffelhardt GmbH & Co. KG: 95 (Black Mamba), 95 (Djembe), 95 (Winja's Fear & Force); PhotoDisc: 82 (8); Photos.com: Abishek Aggarwal 129, Alexey Romanov 12 (d), Ammit 27 (bungee), annalisa troian 11 (c), Azurita 72 (lemon pie), Bernd Jürgens 52 (c), Cathy Yeulet 72 (banoffee pie), Dana Ward 96 (f), Gennadiy Poznyakov 95 (water park), Jacek Nowak 52 (h), Jani Bryson 86 (Bastian), Joe Gough 72 (toad in the hole), 73 (a), Jupiter Images 27 (rafting), Jupiterimages 12 (e), Maren Wischnewski 52 (d), robert van beets 10 (e), Stockbyte 15 (2), Uros Petrovic 96 (e), Yorden Rusev 52 (e); Press Association Images: EMPICS Sport 61 (Judith Arndt), 61 (Louis Smith), Lynne Cameron 61 (Ellie Simmonds); Rex Features: 29b (Michael Fassbender), c. Warner Br / Everett 41 (Leonardo di Caprio), Eric Pendzich 41 (Natalie Portman), Picture Perfect 29 (Heidi Klum), SIPA Press 28 (c), Startraks Photo 41 (Kirsten Dunst), Steve Meddle 41 (Eddie Izzard); Rough Guides: Diana Jarvis 15 (h); Shutterstock.com: bloom 98 (c), FocusDzign 32 (b), karamysh 32 (d), Karkas 98 (i), Kasla Balasiewicz 75 (toilets), Mikhail P. 11 (d), Mogens Trolle 32 (c), Monkey Business Images 37, Mountainpix 119bl, MR 75 (Platform), Nalyyer 49 (cameraman), Olga Bogatyrenka 117 (a), S. Borisov 49 (Brandenburg Gate), sam100 96 (d), Venus Angel 98 (e), yakub88 32 (a); Sozaijiten: 16 (c); SuperStock: imagebroker.net 5 (j), 15 (e); The Kobal Collection: 20th Century Fox / Marvel 29t (Michael Fassbender), CBS-TV / Robert Voets 32 (h), Touchstone Pictures 29 (Diane Kruger); Thinkstock: iStockPhoto 96 (b), PhotoDisc 96 (c); TopFoto: Action Plus Sports Images 117 (f); Veer/Corbis: Alexandra Podshivalov 98 (j), benjuer 73 (c), Daniek 124 (b), Dima F. 5 (e), fanfo 99 (a), fotodesign-jegg.de 97 (3), 118br, fotogal 58, Franck Boston 16 (b), Galina Burskaya 5 (d), 15 (g), Hasenonkel 86 (lake), homestudio 98 (h), imageone 74 (doors), Jan Novák 5 (i), 15 (d), 26 (g), jirkaejc 56 (Speck ham), 124 (e), Kaarsten 74 (ticket), Kayros Studio Be Happy 98 (d), 98 (l), keng po leung 74 (turnstiles), lightpoet 5 (h), Maridav 26 (f), Marnie Curkhart 11 (b), martinturzak 72 (salad), matteo festi 53 (mountains), Mikhail Olykaynen 74 (coach), Monkey Business Images 49 (web designer), nikitabuida 86 (Pool), nowshika 72 (Cumberland pie), Nupix 73 (d), Pakhnyushchuy Vitaliy 98 (f), Paul Littler 12 (b), redcrayola 9 (b), Serghei Platanov 72 (prawn cocktail), Stefano Lunardi 74 (bench), stockphotos 57 (Schnitzel), 57 (soup), Sumners 26 (d), svetoslav sokolov 10 (b), traninphoto 124 (c), TrotzOlga 98 (a), Veneratio 53 (deer); www.imagesource.com: 40, 94 (harbour), 127, Maskot 8c

Contents – Inhalt

WELLINGS

KAPITEL 3 Bleib gesund! 52

KAPITEL 4 Klassenreisen machen Spaß! 74

KAPITEL 5 Wir gehen aus 96

KAPITEL 1 Ich liebe Ferien!

1 Wo liegt der Bodensee?

a in Italien, Deutschland und Österreich
b in der Schweiz, Deutschland und Österreich
c in der Schweiz, Italien und Österreich

2 Wie lang ist der Bodensee?

a 63 Kilometer lang
b 15 Kilometer lang
c 37 Kilometer lang

3 Der Bodensee ist ...

a an der Themse
b am Rhein
c an der Seine

4 Der Bodensee ist in der Nähe der ...

a Picos de Europa
b Pyrenäen
c Alpen

5 Was passt zusammen? Finde die Paare.
Beispiel: **1** h

Wintersport und Sommersport am Bodensee

1	Kanufahren	**6**	Snowboardfahren
2	Wakeboardfahren	**7**	Eishockey
3	Tennis	**8**	Windsurfen
4	Segeln	**9**	Snowtubing
5	Bananefahren	**10**	Schlittenfahren

6 Sieh dir Aufgabe 5 an. Ist das eine Wintersportart oder eine Sommersportart?
Beispiel: **1** Kanufahren – Sommer

Kulturzone

Im Winter kann man am Bodensee nicht nur snowboarden und skifahren. Man kann auch Eistennis spielen. Was ist Eistennis? Einfach! Tennisspielen auf dem Eis.

1 Innsbruck – früher und heute

- Comparing places 'then' and 'now'
- Describing in the past using **war**, **hatte** and **es gab**

Hör zu und lies. **Wie ist Innsbruck heute?**

Ich bin Snowboarder. Ich finde Innsbruck total super! Die Stadtmitte ist historisch, schön und touristisch. Innsbruck ist auch groß und modern – dort gibt es eine Skatehalle und eine Arena. Innsbruck ist eine perfekte Stadt – nicht zu laut und nicht zu ruhig. Es gibt am Marktplatz auch einen Strand!

Lies den Text noch mal. Wie heißt das auf Deutsch? Schreib es auf.

1 beautiful **2** touristy **3** big **4** modern **5** loud **6** quiet

Hör zu und lies. **Wie war Innsbruck früher?**

Ich war im Jahr 1976 Sportler in Innsbruck. Innsbruck hatte ein Olympiastadion. Es war toll! Die Stadt war früher klein und historisch. Die Stadtmitte war alt und schön – gar nicht industriell. Es gab ein Einkaufszentrum und gute Sportanlagen, aber es gab früher in Innsbruck keinen Strand!

früher = before/earlier
Sportanlagen = sporting facilities

Grammatik

Page 22

The imperfect tense (***das Imperfekt***) is sometimes used to talk about the past. Three key verbs are often used to **describe** things in the past.

Now

Innsbruck ***ist*** *groß.* Innsbruck **is** big.
Innsbruck ***hat*** *ein Stadion.*
Innsbruck **has** a stadium.
Es ***gibt*** *eine Arena.* **There is** an arena.

Then

Innsbruck ***war*** *groß.* Innsbruck **was** big.
Innsbruck ***hatte*** *ein Stadion.*
Innsbruck **had** a stadium.
Es ***gab*** *eine Arena.* There **was** an arena.

Lies die Texte noch mal. Schreib ***früher*** oder ***heute***.
Beispiel: **1** heute

1 Er ist Snowboardfahrer.
2 Innsbruck war historisch.
3 Innsbruck hat eine Skatehalle und eine Arena.
4 Innsbruck hatte ein Olympiastadion.
5 Es gab in Innsbruck keinen Strand.
6 Es gibt einen Strand am Marktplatz.

Partnerarbeit. Mach Dialoge über deine Stadt. Früher oder heute?
Beispiel:

- *(Manchester) ist (groß).*
- *Heute!*
- *Es gab (kein Einkaufszentrum).*
- *Früher!*

Innsbruck ist/war ...	historisch touristisch alt modern klein groß laut ruhig schön industriell
Innsbruck hat/hatte ... Es gibt/gab ...	einen Marktplatz einen Strand eine Arena eine Skatehalle ein Einkaufszentrum ein Olympiastadion

Hör zu und lies den Text. Sieh dir die Bilder an. Was ist die richtige Reihenfolge?
Beispiel: c, ...

Hamburg ist eine große Stadt an der Küste in Norddeutschland. Sie hat 1,8 Millionen Einwohner. Es gibt dort viel Industrie. Früher war Hamburg eine große Transportstadt und der Hamburger Hafen ist immer noch sehr groß und aktiv.

Im Jahr 2006 war in Hamburg die Fußball-Weltmeisterschaft. Die Beatles waren auch früher einmal in Hamburg und heute gibt es in der Stadtmitte den Beatles-Platz. Hamburg hatte früher nicht viel Tourismus; die Hotels waren klein und die Restaurants waren nicht teuer, aber heute hat Hamburg viel Tourismus; die Hotels sind groß und die Restaurants sind sehr teuer!

In Hamburg gibt es heute auch viele Attraktionen, zum Beispiel das Miniatur Wunderland. Eine Million Touristen besuchen jedes Jahr das Miniatur Wunderland.

waren (were) is the plural form of ***war*** (was).

die Einwohner = inhabitants
der Hafen = harbour
immer noch = still
der Tourismus = tourism

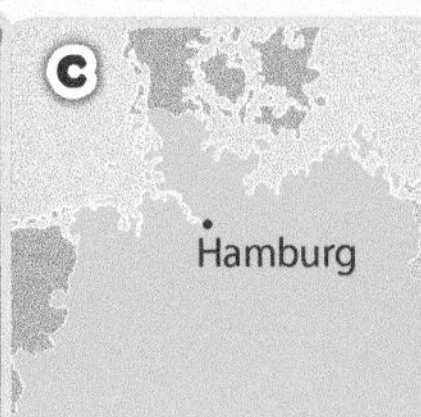

Lies den Text noch mal. Richtig oder falsch? Korrigiere die falschen Sätze.
Beispiel: **1** falsch – Hamburg ist eine große Stadt.

1 Hamburg ist eine kleine Stadt.
2 Es gibt in Hamburg viel Industrie.
3 Der Hafen war früher sehr klein.
4 Es gab früher in Hamburg einen Beatles-Platz.
5 Hamburg hatte früher viel Tourismus.
6 Das Miniatur Wunderland ist eine große Attraktion für Touristen.

Lies den Text. Das war früher. Wie ist es heute? Ersetze die unterstrichenen Wörter. Schreib den Text ab.
Read the text. That was in the past. What is it like now? Replace the underlined words. Copy the text.
Beispiel: Ost-London **hat heute einen** Olympiapark ...

Ost-London hatte früher keinen Olympiapark und es gab kein Olympiastadion. Die Stadt war alt und industriell. Der Bahnhof in Stratford war klein. Es gab kein Einkaufszentrum und keine Restaurants.

modern | ist | ~~einen~~ | gibt | ein | ist | groß | schön | ~~heute~~ | ~~hat~~ | ein | viele | gibt

Gruppenarbeit. Mach Dialoge. Person 1 beschreibt Ost-London von früher. Person 2 beschreibt Ost-London von heute. Person 3 macht Notizen.
Beispiel:

● *Ost-London war früher (industriell).*
■ *Ja, das stimmt, aber Ost-London ist heute (schön). Es gibt (viele Restaurants).*

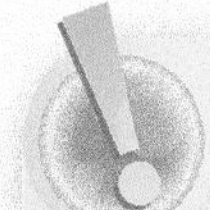

Use ways you know to agree or disagree with your partner:

- Das stimmt (nicht).
- Ja, das ist richtig.
- Nein, das ist falsch.

2 Was hast du in den Ferien gemacht?

- Talking about what you did on holiday
- Using the perfect tense with **haben**

Was passt zusammen? Finde die Paare.
Beispiel: **1** c

Wo hast du gewohnt?

1 Ich habe in einem Ferienhaus gewohnt.
2 Ich habe in einem Hotel gewohnt.
3 Ich habe bei Freunden gewohnt.
4 Ich habe in einer Jugendherberge gewohnt.
5 Wir haben auf einem Campingplatz gewohnt.
6 Wir haben in einem Wohnwagen gewohnt.

e

Hör zu und überprüfe. (1–6)

Grammatik

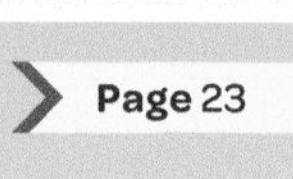

The perfect tense

To talk about what you did, use part of the verb ***haben*** (to have) and a past participle.

Regular participles start with **ge** and end with **–t**: *wohnen* ➜ ***ge****wohn****t***.

wohnen (to live/stay) ➜ ***gewohnt*** (lived/stayed)

ich habe *du hast* *er/sie/es hat* *wir haben* *ihr habt* *Sie haben* *sie haben*	***ge****wohn****t*** *(lived/stayed)*

Partnerarbeit. Wo hast du gewohnt? Sieh dir die Bilder in Aufgabe 1 an und mach Dialoge.
Beispiel:

- *Wo hast du gewohnt?*
- *Ich habe (bei Freunden) gewohnt.*

Aussprache

When pronouncing new words, use what you already know. The **j** in *Jugendherberge* is the same as in *Jo-Jo* and the **w** sounds in *Wohnwagen* are the same as in *Wildwassersport*. Look at page 133 to remind yourself of the German key sounds you learned in *Stimmt! 1*.

Wo haben sie gewohnt? Sieh dir die Bilder an. Schreib Sätze.
Where did they stay? Look at the pictures. Write sentences.
Beispiel: **1** Ich habe auf einem Campingplatz gewohnt.

ich

wir

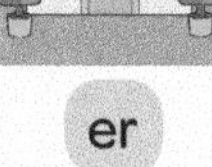

du

5

ihr

sie (they)

Hör zu. Sieh dir die Bilder an. Was ist die richtige Reihenfolge?
Beispiel: b, ...

Ich heiße Alina. Ich war letztes Jahr mit meiner Familie in Österreich. Wir haben viele Sachen gemacht!

a Ich habe Musik gehört.

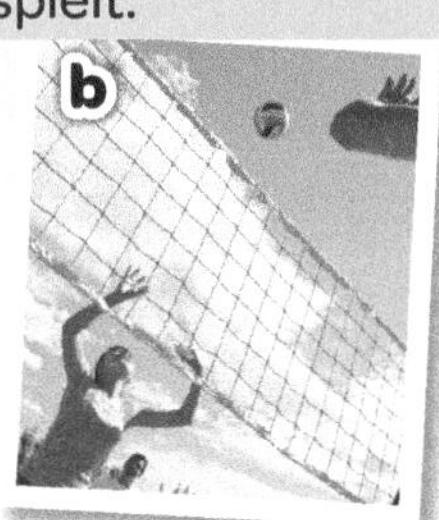
b Wir haben Volleyball gespielt.

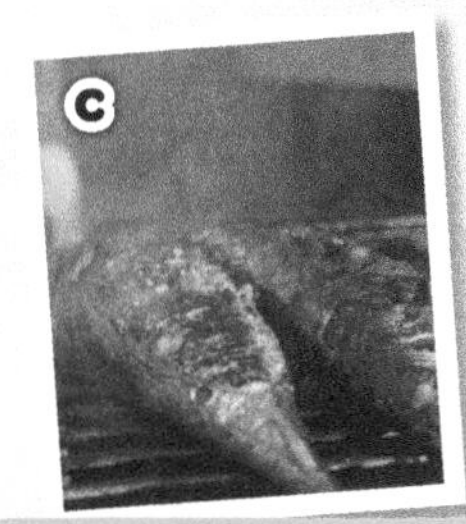
c Ich habe viel Fisch gegessen.

d Wir haben einen Bootsausflug gemacht.

e Ich habe viele Souvenirs gekauft.

f Wir haben die Kirche gesehen.

Grammatik Page 23

Irregular verbs are different in the perfect tense. Most of them have past participles that start with **ge** and end with **–en**. Can you work out what these irregular past participles mean?

Ich habe ... *gesehen*
gegessen
gelesen

Partnerarbeit. Sieh dir die Bilder an. Mach Dialoge.
Beispiel:

- *Was hast du gemacht?*
- *Ich habe Souvenirs gekauft.*

1 
2 
3 
4 

5 
6 

7 Hör zu. Sieh dir die Familienfotos an. Was passt zusammen? (1–4)

a 
b 
c 
d 

eine Radtour = a cycle ride
ein Einkaufsbummel = a shopping trip
unterwegs = on the road
Krokodilfleisch = crocodile meat

Hör noch mal zu. Lies die Sätze unten. Ist das Familie 1, 2, 3 oder 4?

a Sie haben viel gekauft.
b Sie haben viel Sport gemacht.
c Sie haben in einem Wohnwagen gewohnt.
d Sie haben eine Safari gemacht.
e Sie haben abends Bücher gelesen.
f Sie haben Tiere gegessen.

Deine Familie liebt touristische Großstädte. Schreib 40–50 Wörter über deine letzten Ferien. Benutze die Checkliste.

- ***Wo warst du?*** *Ich war mit meiner Familie in ...*
- ***Wie war es?*** *Es war (toll)!*
- ***Wo hast du gewohnt?*** *Ich habe ... gewohnt.*
- ***Was hast du gemacht? (2–3 Aktivitäten)*** *Ich habe jeden Tag ..., ... und ... Ich habe auch ...*

3 Wie bist du gefahren?

- Talking about how you travelled
- Using the perfect tense with ***sein***

1 Hör zu. Sieh dir die Bilder und Sätze an. Was passt zusammen? (1–6)

Beispiel: **1** b

Wie bist du gefahren?

a Ich bin mit dem Auto gefahren.

b Ich bin mit dem Schiff gefahren.

c Ich bin mit dem Reisebus gefahren.

d Ich bin geflogen.

e Ich bin zu Fuß gegangen.

f Ich bin nicht weggefahren. Ich bin zu Hause geblieben.

Grammatik

Page 23

Some verbs, like ***fahren*** and ***gehen***, form the perfect tense with ***sein***, instead of ***haben***. This is usually when the verb signifies movement.

fahren to travel

Ich ***bin ... gefahren***. I travelled ...

gehen to go

Ich ***bin ... gegangen***. I went ...

2 Hör zu und lies. Sieh dir die Bilder an. Was ist die richtige Reihenfolge?

Beispiel: c, ...

a 

b 

c 

d  

e 

f 

g 

Ich war zwei Wochen mit meiner Familie in München, in Süddeutschland. Ich bin nach München geflogen und dann mit dem Auto gefahren. Die Reise war gut aber ziemlich lang. Ich habe in einem Hotel gewohnt. Ich bin jeden Tag an den See gegangen, wo es einen Strand gibt. Ich bin auch geschwommen und ich bin oft Rad gefahren. Mein Urlaub war toll!

die Reise = the journey
der Urlaub = the holiday

3 Lies den Text noch mal. Wie heißt das auf Deutsch? Schreib es auf.

1 I flew.
2 I travelled by car.
3 I stayed in a hotel.
4 I went to the lake.
5 I swam.
6 I cycled.

Ich bin	nach Deutschland mit dem Auto/Reisebus mit meiner Familie/ mit Freunden Rad/Snowboard	gefahren.
	an den See an den Strand	gegangen.
	nach München/Wien	geflogen.
	in einem Hotel	geblieben.
	im Meer/See	geschwommen.

Partnerarbeit. Partner(in) A wählt Bilder (a oder b) aus und beschreibt den Urlaub. Dann tauscht die Rollen.

Pair work. Partner A chooses pictures (a or b) and describes the holiday. Then swap roles.

Beispiel: **1** Ich bin nach (a) Salzburg in Österreich gefahren. Ich bin ...

1 a b

2 a b

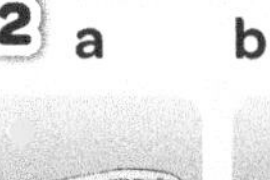

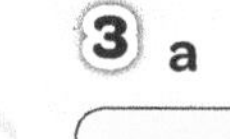

3 a b

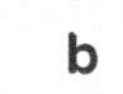

4 a b

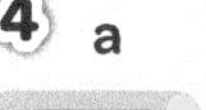

5 a b

Hör zu. Sieh dir die Bilder an. Ist das Familie a, b oder c? (1–3)

a

b

c

Hör noch mal zu. Schreib die Tabelle ab und füll sie aus. (1–3)

	Wie lange?	*Wohin?*	*Wie gefahren?*	*Was gemacht? (x2)*
1	*2 Wochen*			

Lies den Text. Übersetze ihn ins Englische.

Stefan

Ich bin letzten Winter nach Österreich gefahren. Ich war zehn Tage mit meiner Familie in St. Anton. Ich bin nach Innsbruck geflogen und mit dem Reisebus nach St. Anton gefahren. Jeden Tag bin ich Snowboard gefahren und ich bin auch Ski gefahren.

letzten Winter = last winter

Grammatik

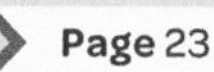
Page 23

When you refer to others, the pronoun and part of ***sein*** change. You have learned ***sein*** (to be) already.

ich bin	
du bist	
er/sie/es ist	
wir sind	***gefahren*** *(drove/ travelled/went)*
ihr seid	
Sie sind	
sie sind	

Sieh dir Aufgabe 7 noch mal an. Schreib den Text über Stefan auf.

Beispiel: **Stefan ist** letzten Winter ... **Er war** ...

Wann hast du das gemacht? Schreib die Sätze und beginn mit der Zeitangabe.

When did you do that? Write the sentences and begin with the time phrase.

Beispiel: **1** Im Juli bin ich nach London gefahren.

1. Ich bin im Juli nach London gefahren.
2. Er ist letzte Woche zu Hause geblieben.
3. Ich bin gestern Skateboard gefahren.
4. Wir sind letzten Sommer nach Deutschland gefahren.
5. Ich bin letztes Wochenende in die Stadt gefahren.

Grammatik

Time phrases, such as ***jeden Tag***, are often at the beginning of a sentence, but remember the **verb second** rule – if the time expression is first, the verb must come next. In the perfect tense it is the part of ***haben*** or ***sein*** that comes after the time phrase:

*Ich bin **letzten Sommer** nach Berlin gefahren.* ➜

***Letzten Sommer** bin ich nach Berlin gefahren.*

(Last summer I went to Berlin.)

4 Wie ist das Wetter?

- Talking about the weather
- Combining the present and past tenses

1 Hör zu. Wo ist das? Wie ist das Wetter? (1–9)

Beispiel: **1** Wien – c

Leipzig | Hamburg | Wien | Düsseldorf | Zürich | Innsbruck | Stuttgart | Frankfurt | Bern

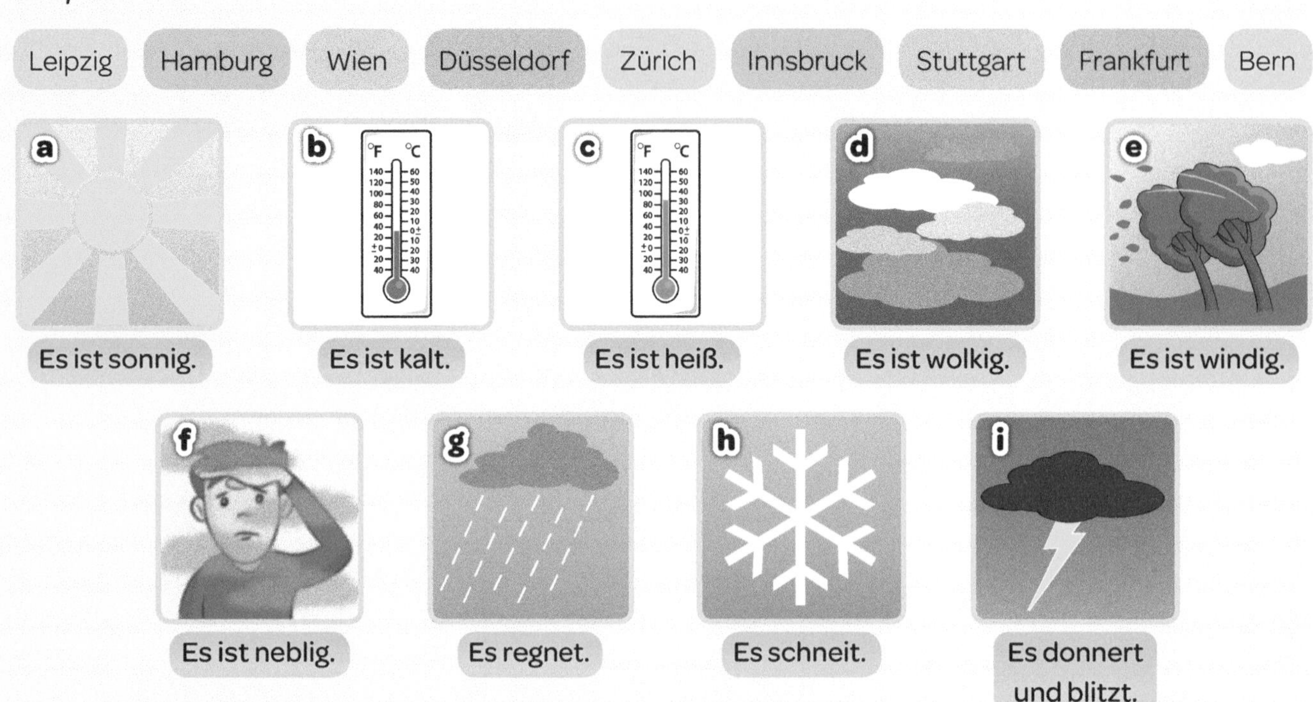

a Es ist sonnig.
b Es ist kalt.
c Es ist heiß.
d Es ist wolkig.
e Es ist windig.
f Es ist neblig.
g Es regnet.
h Es schneit.
i Es donnert und blitzt.

2 Hör noch mal zu. Ist das Wortstellung 1 oder 2? (1–9)

Listen again. Is it word order 1 or 2?

Beispiel: **1** word order 1

Remember, when your sentence starts with something other than the subject, such as the place, the subject and the verb swap positions to keep the verb second.

Word order 1: ***Es ist** kalt in Bern.*

Word order 2: *In Bern **ist es** kalt.*

Kulturzone

Wetterrekorde!

Im Jahr 2003 war es in Süddeutschland superheiß: 40,2° C in Freiburg.

Im Winter 2001 war es extrem kalt: –45,9° C in Bayern!

3 Partnerarbeit. Wie ist das Wetter? Mach Dialoge mit Stabreimen.

Pair work. What's the weather like? Create dialogues with alliteration.

Beispiel:

- ***Wie ist das Wetter in (Kaltenkirchen)?***
- ***(Es ist kalt) in (Kaltenkirchen)!***

Kaltenkirchen | Schnackenburg | Windsbach | Heitersheim

Wolkenstein | Sonneberg | Regensburg | Nebra | Donzdorf

Vary your word order by starting with the town and using word order 2.

*In Kaltenkirchen **ist es** kalt.*

Hör zu und lies. Sieh dir die Bilder an. Was passt zusammen? (1–3)

Beispiel: **1** h, ...

a 

b 

c 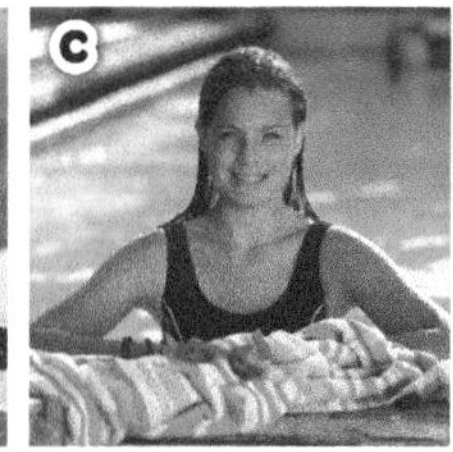

d 

e 

f 

g 

h 

1

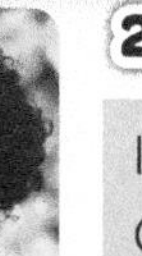

Hallo! Ich wohne in Bad Wildungen in Deutschland. Im Sommer ist es heiß und sonnig. In den Ferien gehe ich oft kitesurfen und ich fahre auch gern Wakeboard. Mit Freunden fahre ich gern Banane – das ist toll! Letzten Winter war es sehr kalt und es hat geschneit. Ich bin Snowboard gefahren!

2

Ich komme aus Österreich und wohne in Kitzbühel. Im Winter fahre ich gern mit meinen Freunden Ski. Das ist total lustig! Letzten Sommer hat es manchmal geregnet und es war windig. Das war gut zum Windsurfen. Aber es hat auch gedonnert und geblitzt, das war nicht so gut!

3

Ich wohne in Altdorf in der Schweiz. Im Sommer ist das Wetter oft schön. Letzten Winter war es manchmal neblig und kalt. Ich bin mit meiner Schwester im Hallenbad schwimmen gegangen. Im Dezember war ich mit meiner Familie in Salzburg. Ich habe Snowtubing gemacht. Das war einfach toll!

Lies die Texte noch mal. Wie heißt das auf Deutsch? Schreib es auf.

1 I go kite surfing.
2 I go skiing.
3 I live in Altdorf.
4 I went snowboarding.
5 It snowed.
6 I went snowtubing.

Grammatik

*Es **ist** windig.* = It **is** windy. *Es **war** windig.* = It **was** windy.

But some weather expressions don't use ***ist***. How are they formed in the past?

*Es **regnet**.* ➜ *Es **hat geregnet**.*

*Es **donnert** und **blitzt**.* ➜ *Es **hat gedonnert** und **geblitzt**.*

You can combine present and past tenses to talk about the weather:

Es ***ist** sehr kalt und es **hat** gestern **geschneit**.*
(It is very cold and it snowed yesterday.)

Sieh dir Aufgabe 5 an. Schreib die Sätze 1–3 im Perfekt und die Sätze 4–6 im Präsens auf.

Look at exercise 5. Write sentences 1–3 in the past and sentences 4–6 in the present.

***Beispiel:* 1** Ich bin kitesurfen gegangen.

Ich	gehe	windsurfen/kitesurfen/schwimmen.
	mache	Snowtubing.
	fahre	Wakeboard/Snowboard/Ski/Banane.

Schreib über den Winter und Sommer in deiner Stadt/deinem Dorf. Was hast du letzten Winter/Sommer gemacht?

5 Ein Interview

- Talking about holidays
- Asking and answering questions

Hör dir das Interview an. Welches Bild ist das? (1–8)
Beispiel: **1** d

1 Wohin bist du gefahren?	**5** Was hast du gemacht?
2 Wie bist du gefahren?	**6** Wie lange warst du dort?
3 Mit wem bist du gefahren?	**7** Wie war das Wetter?
4 Wo hast du gewohnt?	**8** Wie war es?

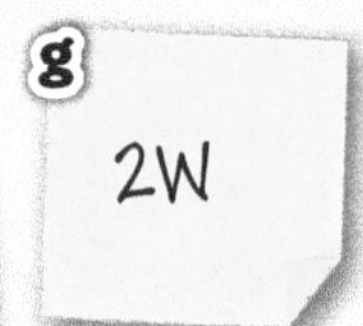

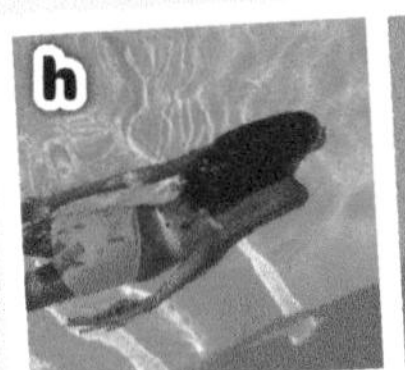

Sieh dir Aufgabe 1 noch mal an. Wie heißen die Fragewörter auf Deutsch? Schreib sie auf.
Beispiel: **1** Wie?

1 How?	**4** How long?
2 Where?	**5** What?
3 Where ... to?	**6** With whom?

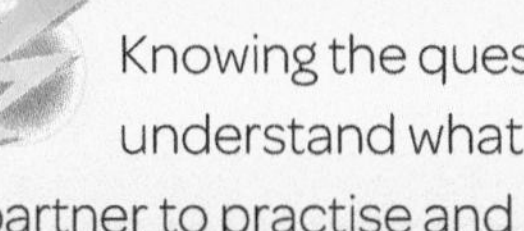

wem is a form of ***wer*** (who) and is like 'whom' in English.

Knowing the question words well helps you to understand what you are being asked. Work with a partner to practise and revise them as often as you can.

Sieh dir die Bilder an. Sieh dir die Fragen in Aufgabe 1 noch mal an. Mach Dialoge.
Beispiel: **1**

- *Wie war das Wetter?*
- *Das Wetter war kalt.*

Use the questions to help you form your responses. Most of the same words are used, but note how the order changes:

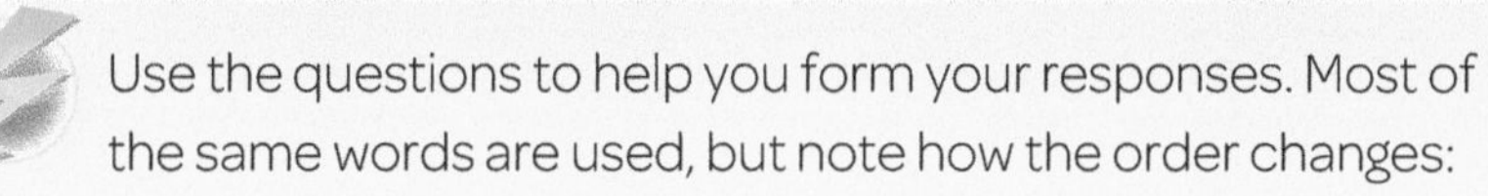

Wie ***war das Wetter?*** ➜ ***Das Wetter war*** *kalt.*

Remember that questions referring to 'you' need answering with 'I':

Wohin ***bist du*** *gefahren?* ➜ ***Ich bin*** *nach (Österreich) gefahren.*

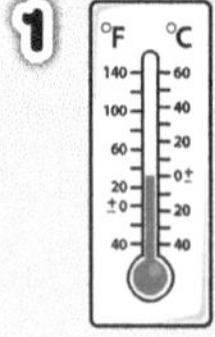
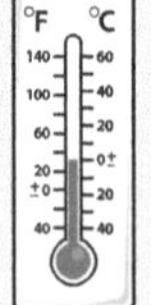

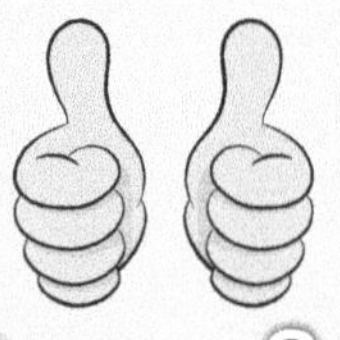

Hör dir das Interview an und lies.

- Guten Tag. Ich mache Interviews über Ferien.
- ■ Ähm ... OK.
- Danke. Also ... na ja ... Was macht ihr normalerweise in den Ferien?
- ■ Also ... wir machen immer viel Sport.
- Zum Beispiel ...?
- ■ Letze Woche waren wir in den Alpen. Wir haben Wildwassersport gemacht und Tennis gespielt.
- Ach so. Und im Winter?
- ■ Letzten Winter sind wir nach Italien gefahren.
- Interessant. Wie war es?
- ■ Es war toll. Wir sind Ski gefahren.
- OK. Und noch was?
- ■ Ähm ... tja, wir haben auch Snowtubing und Snowkiten gemacht!
- Na so was!

Lies das Interview noch mal. Wie heißt das auf Deutsch? Schreib es auf.

1 Erm ... ok.
2 Right ...
3 Well ...
4 Oh, I see.
5 Erm ... well ...
6 Wow!

Using ***Flickwörter*** (fillers) in conversation to buy time improves the flow and spontaneity. Read the interview out loud with a partner to practise.

Lies das Interview noch mal. Wie heißt das auf Deutsch? Schreib es auf.

1 For example ...?
2 And in winter?
3 How was it?
4 And anything else?

Using ***Folgefragen*** (follow-up questions) helps to keep the conversation going. It is useful to have some simple questions in your head that work in most conversations. Work with a partner to learn off by heart the German for the four questions in exercise 6.

Beschreib einen Urlaub. Beantworte die Fragen in Aufgabe 1.

***Beispiel:* 1** Ich bin nach (Portugal) gefahren.

Gruppenarbeit. Mach ein Interview. Partner(in) A stellt Fragen von Aufgabe 1 und spontane Folgefragen. Partner(in) B antwortet. Partner(in) C gibt Feedback. Dann tauscht die Rollen.

Group work. Conduct an interview. Partner A asks questions using exercise 1 and spontaneous follow-up questions. Partner B answers. Partner C gives feedback. Then swap roles.

Preparing in advance is very useful if you know what you are going to talk about, as in a job interview or a presentation in school. Use your written answers from exercise 7 to prepare for this group work task.

***Bewertung!* (Rating)**

Wie viele Sterne? ☆☆☆

Das	war	richtig/falsch.
Deine Aussprache (*pronunciation*)		sehr gut/toll.
Deine Fragen (*questions*)	waren	in Ordnung.
Deine Antworten		nicht so gut.

Extension

6 Katastrophe!

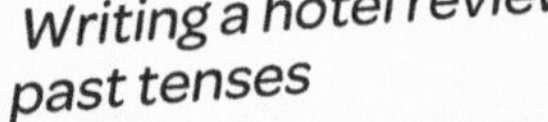

- Talking about problems on holiday
- Writing a hotel review using past tenses

1 LESEN

Was war das Problem? Finde die Paare.

Beispiel: **1** d

1 Die Disko war zu laut.

2 Der Fernseher war kaputt.

3 Die Dusche war kalt.

4 Das Zimmer war zu klein.

5 Das Essen war ekelhaft.

6 Es gab kein Schwimmbad.

7 Das Personal war unhöflich.

8 Es gab Kakerlaken.

9 Die Bettwäsche war schmutzig.

a 

b 

c 

d 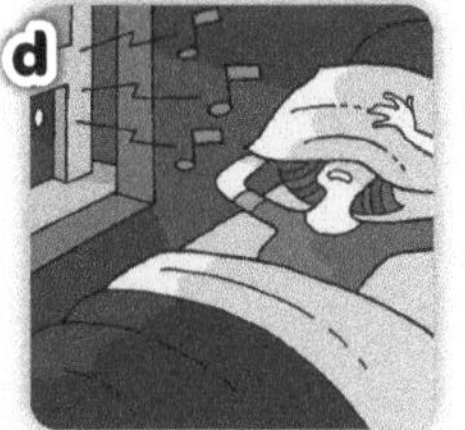

e 

f 

g 

h 

i 

2 HÖREN Hör zu und überprüfe. (1–9)

3 HÖREN Hör zu. Was waren die Probleme? Sieh dir die Bilder in Aufgabe 1 an. Schreib die Tabelle ab und füll sie aus. (1–4)

1	*g, …, …*
2	
3	
4	

4 SPRECHEN Partnerarbeit. Mach Dialoge.

Beispiel:

- ● *Wie war dein Hotel?*
- ■ *Es war eine Katastrophe! Es gab Kakerlaken, …*

- ■ *Und dein Hotel?*
- ● *Auch sehr schlecht.*

To ask for more information or to keep the conversation going, ask ***Und was noch?*** ('And what else?'). Try to mention all the problems pictured at least once.

5 Hör zu und lies.

a

Kakerlaken im Zimmer! ○○○○○

„Na ja ... wir sind mit dem Auto gefahren und es gab vor dem Hotel einen großen Parkplatz – das war gut. Das Zimmer war aber ziemlich klein und die Bettwäsche war 40 Jahre alt. Es gab Haare im Bett und Kakerlaken im Zimmer. Furchtbar! Ich werde nie wieder in diesem Hotel übernachten."

b

Katastrophal! ◉○○○○

„Dieses Hotel war eine Katastrophe! Das Personal war sehr unhöflich. Die Dame an der Rezeption hat uns nie ‚Guten Morgen' gewünscht. Sie hat nur Musik gehört und ihr Buch gelesen. Am ersten Abend sind wir ins Restaurant gegangen. Ich habe Fisch mit Nudeln gegessen. Total ekelhaft! Das Zimmer war aber OK – nur ein bisschen kalt."

c

Furchtbar! ◉○○○○

„Das Hotelzimmer war nicht soooo schlecht, aber der Fernseher war kaputt und Wi-Fi gab es nur an der Rezeption. Die Dusche war schmutzig und das Wasser in der Dusche war zu heiß. Unten im Hotel gab es eine Disko und die Musik war viel zu laut – jeden Morgen bis vier Uhr!"

d

Einfach Horror! ◐○○○○

„Die Bettwäsche war sehr schmutzig und das Bett steinhart. Es gab ein Problem mit der Toilette und die Dusche war eiskalt. In der Broschüre habe ich ein Schwimmbad gesehen, aber es gab gar kein Schwimmbad – was für ein Skandal!"

nie wieder = never again
nur = only
unten = downstairs
steinhart = rock hard

6 Lies die Sätze. Welcher Text ist das: a, b, c oder d?

1. Das Zimmer war klein.
2. Es gab kein Schwimmbad.
3. Die Toilette war kaputt.
4. Das Essen war ekelhaft.
5. Das Wasser in der Dusche war zu kalt.
6. Im Hotelzimmer war es kalt.
7. Das Personal war nicht freundlich.
8. Die Musik war zu laut.

7 Finde die Sätze im Text und schreib sie auf Deutsch auf.

1. That was good.
2. There was hair in the bed.
3. I will never stay in this hotel again.
4. Totally disgusting!
5. The TV was broken.
6. The bedding was very dirty.
7. There was a problem with the toilet.
8. I saw a swimming pool in the brochure.

8 Katastrophe! Schreib eine Hotelbewertung von 60–80 Wörtern. Benutze die Checkliste und die Beispiele aus Aufgabe 5.

Write a hotel review of 60–80 words. Use the checklist and the examples from exercise 5.

	✔
Titel	
4 Probleme	
ein Detail, das nicht schlecht war	
5 Adjektive	
3 Verben im Perfekt	
war / gab / hatte	

Lernzieltest

I can…

	I can…	Example
1	● compare places then and now	Innsbruck war früher klein, aber ist jetzt groß.
	● use a range of adjectives to describe places	Die Stadt ist industriell und modern.
	■ describe in the past, using the imperfect ***war***, ***hatte*** and ***es gab***	Innsbruck war früher ruhig. Innsbruck hatte ein Stadion. Es gab eine Skatehalle.
	■ use ***kein*** to say what was not there	Es gab **keinen** Strand.
2	● say where I/we stayed on holiday	Ich habe auf einem Campingplatz gewohnt. Wir haben in einem Hotel gewohnt.
	● say what I/we did on holiday	Ich habe Musik gehört. Wir haben Volleyball gespielt.
	■ use the perfect tense with ***haben***	Was hast du gemacht? Ich habe Souvenirs gekauft.
	■ use some irregular participles	Ich habe die Kirche **gesehen**.
	use the key sounds when pronouncing new words	**J**o-**J**o ➜ **J**ugendherberge **W**ild**w**assersport ➜ **W**ohn**w**agen
3	● say how I travelled	Ich bin mit dem Reisebus gefahren.
	● say where I went and what I did	Ich bin nach Schottland gefahren. Ich bin Snowboard gefahren.
	■ use the perfect tense with ***sein***	Ich bin mit dem Zug gefahren.
	■ use some irregular participles with ***sein***	Ich bin zu Hause **geblieben**.
	■ apply the verb second rule after time phrases in the perfect tense	Letzten Sommer **bin ich** nach Deutschland gefahren.
4	● talk about the weather in the present and the past	Es **ist** kalt. ➜ Es **war** kalt. Es **regnet**. ➜ Es **hat geregnet**.
	■ form the present and perfect tenses confidently	Ich **fahre** Ski. Ich **bin** Ski **gefahren**.
	■ combine the present and past tenses in speaking and writing tasks	Im Winter ist es immer kalt und letzten Winter bin ich oft Snowboard gefahren.
5	use questions to help form answers	Wie **war das Wetter**? ➜ **Das Wetter war** ...
	use fillers to buy time and improve spontaneity	Also ..., Ähm ..., Ach so!
	use follow-up questions to extend conversations	Zum Beispiel?, Noch etwas?, Wie war es?
	prepare for a spoken presentation by predicting likely questions	
6	● talk about holiday problems	Die Dusche war kalt.
	■ use the imperfect tense ***war*** and ***es gab*** in a new context	Die Disko war zu laut. Es gab ein Problem mit der Toilette.
	■ combine imperfect and perfect tenses in writing tasks	In der Broschüre **habe ich** ein Schwimmbad **gesehen**, aber **es gab** kein Schwimmbad!

Wiederholung

Hör zu. Mach Notizen auf Englisch. (1–4)

	Travel	Destination	Accommodation	Description of place (x2)	Activities (x2)	Opinion
1	car	Germany				

Wähl Bilder a oder b aus. Beschreib deinen Urlaub. Dann tauscht die Rollen.
Beispiel:

- *Ich bin nach (Amerika) gefahren. Ich war (eine Woche) dort ...*

Lies die E-Mail. Welche vier Sätze sind richtig?

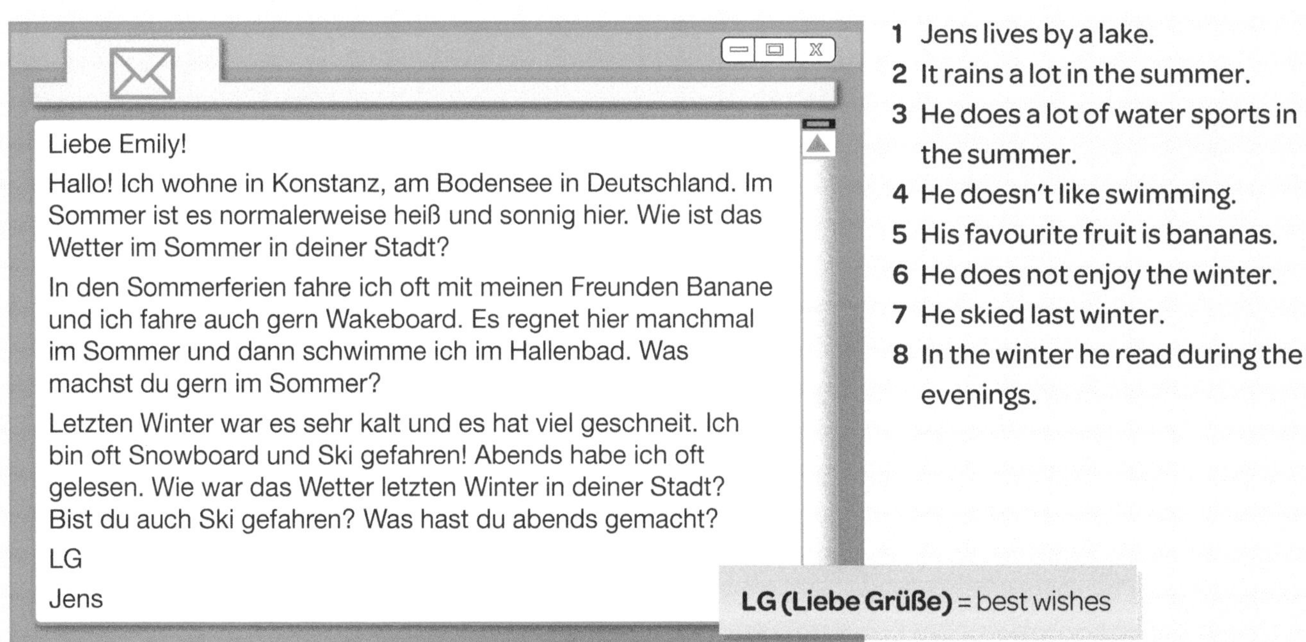

Liebe Emily!

Hallo! Ich wohne in Konstanz, am Bodensee in Deutschland. Im Sommer ist es normalerweise heiß und sonnig hier. Wie ist das Wetter im Sommer in deiner Stadt?

In den Sommerferien fahre ich oft mit meinen Freunden Banane und ich fahre auch gern Wakeboard. Es regnet hier manchmal im Sommer und dann schwimme ich im Hallenbad. Was machst du gern im Sommer?

Letzten Winter war es sehr kalt und es hat viel geschneit. Ich bin oft Snowboard und Ski gefahren! Abends habe ich oft gelesen. Wie war das Wetter letzten Winter in deiner Stadt? Bist du auch Ski gefahren? Was hast du abends gemacht?

LG

Jens

LG (Liebe Grüße) = best wishes

1. Jens lives by a lake.
2. It rains a lot in the summer.
3. He does a lot of water sports in the summer.
4. He doesn't like swimming.
5. His favourite fruit is bananas.
6. He does not enjoy the winter.
7. He skied last winter.
8. In the winter he read during the evenings.

Beantworte Jens' Fragen. Was willst du Jens noch fragen? Schreib eine E-Mail. Schreib 60–80 Wörter.
Answer Jens' questions. What else do you want to ask Jens? Write an email. Write 60–80 words.
Beispiel:

Lieber Jens!

Danke für deine E-Mail. Im Sommer ist das Wetter in meiner Stadt ...

Grammatik

The imperfect tense – key verbs

The imperfect tense is used to talk about the past. Three key verbs are often used to describe in the past: ***haben***, ***sein*** and ***es gab***.

To say 'had' you use the imperfect tense of ***haben*** and to say 'was/were' you use the imperfect tense of ***sein***:

haben	to have	***sein***	to be
*ich hatt**e***	I had	*ich war*	I was
*du hatt**est***	you had (familiar singular)	*du war**st***	you were (familiar singular)
*er/sie/es hatt**e***	he/she/it had	*er/sie/es war*	he/she/it was
*wir hatt**en***	we had	*wir war**en***	we were
*ihr hatt**et***	you had (familiar plural)	*ihr war**t***	you were (familiar plural)
*Sie hatt**en***	you had (polite singular or plural)	*Sie war**en***	you were (polite singular or plural)
*sie hatt**en***	they had	*sie war**en***	they were

To say 'there was/were' you use the imperfect form of ***es gibt*** ➜ ***es gab***:

*Es **gab** ein Stadion in Manchester.* There **was** a stadium in Manchester.

1 Write out each sentence using the correct imperfect form of ***haben***.

1. Cambridge ______ früher kein Einkaufszentrum.
2. ______ du letzte Woche Probleme?
3. Elena ______ letzten Freitag Training.
4. Ich ______ Hunger.
5. Wir ______ früher kein Kino.
6. Die Stadt ______ früher ein Stadion.

2 Write out the postcard using the correct imperfect forms of ***sein***.

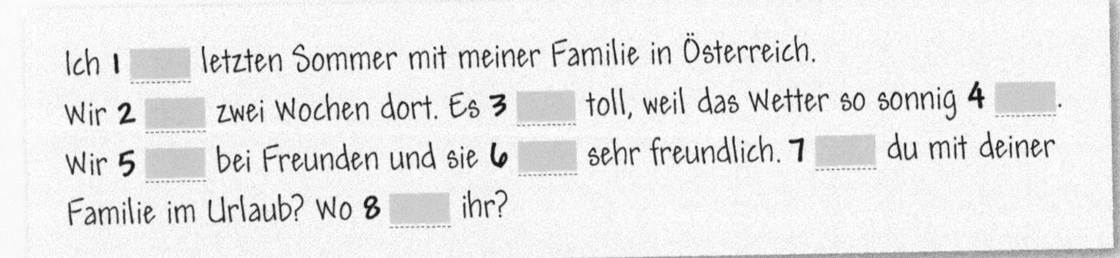

Ich **1** ______ letzten Sommer mit meiner Familie in Österreich.
Wir **2** ______ zwei Wochen dort. Es **3** ______ toll, weil das Wetter so sonnig **4** ______.
Wir **5** ______ bei Freunden und sie **6** ______ sehr freundlich. **7** ______ du mit deiner
Familie im Urlaub? Wo **8** ______ ihr?

3 Write out each sentence with ***war***, ***hatte*** or ***es gab***.

1. Die Stadt ______ klein.
2. ______ einen Marktplatz.
3. Die Stadt ______ viele Sportanlagen.
4. Das Einkaufszentrum ______ nicht modern.
5. Die Stadtmitte ______ viele Restaurants.
6. ______ eine Skatehalle.

The perfect tense with *haben*

- You use the perfect tense to say what you did or have done.
- Many verbs form the perfect tense with a present tense form of ***haben*** and a past participle.
- Regular participles start with **ge** and end with **–t**.
- Participles are always at the end of the sentence.

ich habe		*I played*
du hast		*you played*
er/sie/es hat		*he/she/it played*
wir haben	***gespielt***	*we played*
ihr habt		*you played*
Sie haben		*you played*
sie haben		*they played*

4 Write out each sentence with a past participle, choosing a verb from the box below.

1 Wir haben in einer Jugendherberge ______ .
2 Er hat viel Fußball ______ .
3 Und sie haben einen Bootsausflug ______ .
4 Herr Meyer, haben Sie meine Musik ______ ?
5 Sabine hat ein T-Shirt ______ .
6 Gestern hat es ______ und heute ist es sehr kalt.

spielen	machen	hören	schneien	kaufen	wohnen

Remember to change the infinitive verb to a past participle:
spielen* ➜ *gespielt

The perfect tense – irregular verbs

Some past participles do not follow the regular pattern above:

essen ➜ *ich habe* ***gegessen*** (I ate) *sehen* ➜ *ich habe* ***gesehen*** (I saw) *lesen* ➜ *ich habe* ***gelesen*** (I read)

See the verb tables on pages 130–131 for further examples.

5 Translate these sentences into German. Some are irregular, but some aren't.

1 I read a book.
2 They ate lots of fish.
3 He saw a film at the cinema.
4 We stayed in a holiday house.
5 Frau Braun, did you play tennis yesterday?
6 Did you buy lots of souvenirs?

The perfect tense with *sein*

- Some verbs form the perfect tense with ***sein***.
- Most of them describe movement from one place to another, such as ***fahren*** (to travel).
- Many verbs that form the perfect tense with ***sein*** have irregular participles.

ich bin		*I travelled*
du bist		*you travelled*
er/sie/es ist		*he/she/it travelled*
wir sind	***gefahren***	*we travelled*
ihr seid		*you travelled*
Sie sind		*you travelled*
sie sind		*they travelled*

fliegen ➜ *ich bin* ***geflogen*** (I flew)

gehen ➜ *ich bin* ***gegangen*** (I went)

schwimmen ➜ *ich bin* ***geschwommen*** (I swam)

bleiben ➜ *ich bin* ***geblieben*** (I stayed – *bleiben* is an exception as it does not describe movement.)

6 Write out each sentence with the correct present tense form of ***sein*** and a past participle. Choose from the verbs above.

1 Ich ______ letzten Sommer nach Italien ______ .
2 Jana ______ drei Kilometer im See ______ .
3 Mit wem ______ du nach Paris ______ ?
4 Sie ______ zu Hause ______ .
5 Wir ______ gestern Abend ins Kino ______ .
6 Anton und Brigitte, ______ ihr in die Stadt ______ ?

Wörter

Früher und heute • Then and today

Die Stadt ist/war ...	*The town is/was ...*
alt/modern	*old/modern*
klein/groß	*small/big*
schön/industriell	*beautiful/industrial*
historisch/touristisch	*historic/touristy*
laut/ruhig	*noisy/quiet*
Die Stadt hat/hatte ...	*The town has/had ...*
Es gibt/gab ...	*There is/was ...*
einen Strand	*a beach*
einen Marktplatz	*a town square*
einen Olympiapark	*an Olympic park*
einen Hafen	*a harbour*
eine Arena	*an arena*
eine Skatehalle	*a skate hall*
ein Einkaufszentrum	*a shopping centre*
ein Stadion	*a stadium*

Wo hast du gewohnt? • Where did you stay?

Ich habe ... gewohnt.	*I stayed ...*
in einem Hotel	*in a hotel*
in einem Ferienhaus	*in a holiday house*
in einem Wohnwagen	*in a caravan*
in einer Jugendherberge	*in a youth hostel*
auf einem Campingplatz	*on a campsite*
bei Freunden	*with friends*

Was hast du gemacht? • What did you do?

Ich habe viele Sachen gemacht.	*I did a lot of things.*
Ich habe/Wir haben ...	*I/We ...*
Musik gehört.	*listened to music.*
Volleyball gespielt.	*played volleyball.*
einen Bootsausflug gemacht.	*did a boat trip.*
viele Souvenirs gekauft.	*bought lots of souvenirs.*
viel Fisch gegessen.	*ate lots of fish.*
die Kirche gesehen.	*saw the church.*
ein Buch gelesen.	*read a book.*
Ich bin zu Hause geblieben.	*I stayed at home.*

Wohin bist du gefahren? • Where did you travel to?

Ich bin ... gefahren.	*I travelled ...*
nach Deutschland	*to Germany*
nach Wien	*to Vienna*

Wie bist du gefahren? • How did you travel?

Ich bin ... gefahren.	*I travelled ...*
mit dem Auto	*by car*
mit dem Reisebus	*by coach*
mit dem Schiff	*by boat*
Ich bin geflogen.	*I flew.*
Ich bin zu Fuß gegangen.	*I walked.*

Mit wem bist du gefahren? • Who did you travel with?

Ich bin ... gefahren.	*I travelled ...*
mit meiner Familie	*with my family*
mit Freunden	*with friends*

Was hast du noch gemacht? • What else did you do?

Ich bin ... gegangen.	*I went ...*
an den Strand	*to the beach*
in die Stadt	*into town*
windsurfen	*windsurfing*
kitesurfen	*kite surfing*
schwimmen	*swimming*
Ich bin ... gefahren.	*I went ...*
Wakeboard	*wakeboarding*
Snowboard	*snowboarding*
Ski	*skiing*
Banane	*banana boating*
Ich habe Snowtubing gemacht.	*I went snowtubing.*
Ich habe Eistennis gespielt.	*I played ice tennis.*

Wie ist/war das Wetter? • How is/was the weather?

Es ist/war ...	*It is/was ...*
sonnig	*sunny*
kalt	*cold*
heiß	*hot*
wolkig	*cloudy*
windig	*windy*
neblig	*foggy*
Es regnet.	*It is raining./It rains.*
Es schneit.	*It is snowing./It snows.*
Es donnert und blitzt.	*There is thunder and lightning.*

Wann war das? • When was that?

in den Ferien	*in the holidays*
im Sommer/Winter	*in summer/winter*
letzten Sommer/Winter	*last summer/winter*
heute	*today*
gestern	*yesterday*
früher	*then, previously*

Oft benutzte Wörter • High-frequency words

nur	*only*
dort	*there*
zu	*too*
nicht	*not*
gar nicht	*not at all*
sehr	*very*
ungefähr	*approximately*
viel	*a lot*
viele	*lots, many*

Strategie 1

Partnerarbeit

Two heads are often better than one when it comes to learning vocabulary. Working with someone else helps you to concentrate for longer and makes learning fun. Here are some activities to try with a partner:

- Play word association. Your partner says a word from Chapter 1 and you say a word that is related to it in some way. Be prepared to justify your thinking!
  - ● *Winter*
  - ■ *Es schneit.*
- Play hangman or pictionary with the words from these ***Wörter*** pages.
- Beginnings and endings. Your partner says a word and your next word must start with the final letter of his/her word. Make the longest words you can!
  - ● *war*
  - ■ *ruhig*
- Syllables. Say the first syllable of a word with two or more syllables. Your partner has to finish the word. Make the longest chain of words you can!
  - ● *win ...*
  - ■ *... dig*
- Tandem testing. Take a section of words from these ***Wörter*** pages and test your partner. Begin by testing German into English and then say the English and ask for the German.

Look at page 132 to remind yourself of the five ***Strategien*** you learned in *Stimmt! 1.*

Fantasievoll!

- Researching unusual holiday experiences
- Designing a holiday homepage

Lies den Text Iglu-Bau! Coole Kreativität! Sieh dir die Bilder an (a–g). Was ist die richtige Reihenfolge?
Beispiel: e, ...

Iglu-Bau! Coole Kreativität!

Man muss als Wintertourist nicht nur Ski oder Snowboard fahren. Man kann auch ein Iglu bauen – wie ein echter Eskimo. Originell und fantasievoll – ein unvergessliches Eisabenteuer!

Das Programm (24 Stunden):

- Schneeschuhwanderung (2 Stunden)
- Iglu bauen
- Mittagessen (Butterbrote, Kuchen, heiße Getränke)
- Iglu bauen
- Abendessen (Käsefondue, Glühwein oder alkoholfreier Punsch)
- Nachtwanderung oder Snowtubing (1½ Stunden)
- im Iglu (mit Arktis-Schlafsack) übernachten

man muss = one/you must
bauen = to build
unvergesslich = unforgettable
übernachten = to stay overnight

Bewertungen

Max: Heiß auf Eis!
Mein Iglu-Abenteuer war eine tolle Erfahrung! Ich habe (mit Hilfe von Experten!) mein Iglu gebaut. Die Schneeschuhwanderung war super und das Snowtubing war aufregend. Ich habe gut gegessen und getrunken. Ich habe auch bequem geschlafen.

Veronika: Eiskalt aber fantastisch!
Ich habe mein Eisabenteuer im Januar gemacht. Es hat viel geschneit und es war eiskalt – draußen minus 40 Grad! Trotzdem war alles wunderschön. Das Personal war sehr freundlich und es war total lustig, weil ich mit Freunden dort war.

Johannes: Schneeschuhe sind cool!
Wir haben zwei tolle Schneeschuhwanderungen gemacht. Ich werde das ganze Erlebnis nächstes Jahr noch einmal mit meiner Freundin machen, weil es einfach so gut war.

Martina: Neue Freunde!
Die Leute waren einfach klasse! Ich habe viele neue Freunde kennengelernt. Einfach unvergesslich. Ich kann diese Erfahrung weiterempfehlen.

Lies den Text noch mal. Übersetze ins Englische.
Beispiel: **1** winter tourist

1 Wintertourist
2 fantasievoll
3 Eisabenteuer
4 Schneeschuh
5 Mittagessen
6 Butterbrot
7 Abendessen
8 alkoholfrei
9 Nachtwanderung

Remember that two or more words are often joined together in German. Try dividing up the words to work out the meaning: ***Schlafsack*** = ***Schlaf*** + ***sack*** and means 'sleeping bag'. You can use a dictionary to look up any tricky words or parts of words. Make sure you check the gender of any nouns you look up.

Hör dir die Bewertungen an und lies Aufgabe 1. Wer sagt das?
Beispiel: **1** Max

1 It was a great experience!
2 I will do it again next year.
3 It was really fun because I was there with friends.
4 I slept really comfortably.
5 I can recommend this experience.
6 It snowed a lot.
7 I made lots of new friends.
8 We did two snowshoe walks.

Lies die Bewertungen noch mal. Wähl dir einen Text aus und übersetze ihn ins Englische.
Read the texts again. Choose one text and translate it into English.

When you come to unfamiliar words in a text, first think of a word in English that fits with the sentence meaning. Then check the meaning in a dictionary.

Gruppenarbeit. Besprich deine Meinungen über das Iglu-Bauen mit deiner Gruppe.

Wie findest du (das Iglu-Bauen)?
Ich denke, (das Iglu-Bauen) ist eine tolle Erfahrung!
Was denkst du?
Ich auch!
Ich nicht!
Was?! Du spinnst!
Ich denke, (das Iglu-Bauen) ist (fantastisch, langweilig, doof, komisch, zu kalt) ...

Extend your talk by referring to the igloo-building reviews: ***Max sagt***, *die Schneeschuhwanderung* war super, ... ***aber Veronika sagt***, *es war eiskalt.*

Suche Infos online. Mach eine Startseite für ein Urlaubserlebnis mit Text und Bildern.
Look online for information. Design a homepage for a holiday experience, with text and images. Include the following:

- Catchy headline that says what the holiday experience is
- A few sentences about what the experience includes
- Programme (bullet points about the activities involved)
- Reviews (2–3 positive previous customer reviews)

Use the headings and format from the ***Iglu-Bau*** homepage. Look back in your book and re-use some familiar language: ***Man kann ..., Ich bin ... gegangen, Ich habe ... gemacht, Nächstes Jahr werde ich ...***

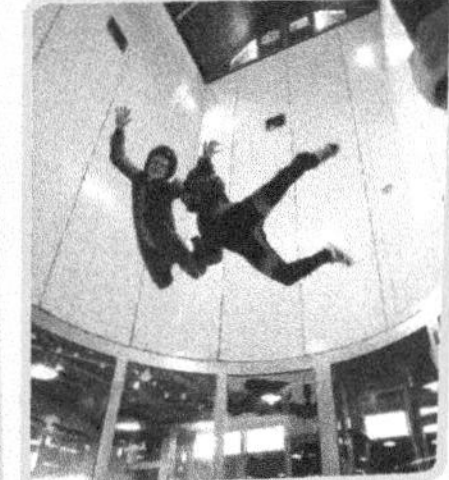

KAPITEL 2 Bist du ein Medienfan?

1 Wie heißen diese Fernseh-Shows auf Deutsch? Was passt zusammen?

1 Dancing Stars
2 Deutschland sucht den Superstar (DSDS)
3 Wer wird Millionär?
4 Das Supertalent
5 Ich bin ein Star – Holt mich hier raus!

2  Gruppenarbeit. Wie heißen diese Fernseh-Shows auf Englisch?

Beispiel:

- ● *Wie heißt „Deutschland sucht den Superstar" auf Englisch?*
- ■ *Ich denke, das ist „Blue Peter".*
- ◆ *Nein, du spinnst! Das ist „X Factor".*
- ■ *Ach ja, das stimmt.*

Did you know that ***Wetten, dass …?*** (*You Bet!*) is one of the most watched TV programmes in Germany? There are also extremely popular Swiss and Austrian versions, making it one of the most successful entertainment shows in Europe. In the show, contestants say they can do an unusual or even dangerous task and guest celebrities bet on whether they will manage it or not.

3 Wer ist das? Finde die richtige Beschreibung.

★ Medienstars

Marlene Dietrich (1901–1992)

Michael Fassbender

Heidi Klum

Franka Potente

Diane Kruger

Arnold Schwarzenegger

1 ... ist ein deutsches Supermodel und oft im Fernsehen. Sie ist auch Geschäftsfrau.

2 ... hat gute Rollen in vielen Filmen und sie war früher auch Model in Deutschland.

3 ... war im frühen 20. Jahrhundert Filmstar und Sängerin.

4 ... ist ein internationaler Schauspieler. Er spricht Englisch und Deutsch.

5 ... kommt aus Österreich, aber er lebt jetzt in den USA. Er ist Schauspieler und Politiker und früher war er Bodybuilder.

6 ... ist eine deutsche Schauspielerin. Sie hat in den Bourne-Filmen mitgespielt.

die Geschäftsfrau = business woman
die Sängerin = (female) singer

Michael Fassbender ist in Deutschland geboren. Er hat einen deutschen Vater und seine Mutter kommt aus Nordirland. Michael kommt aus Heidelberg – das ist eine schöne alte Stadt im Südwesten Deutschlands.

1 Kinoklub

- Talking about film preferences
- Asking questions in the perfect tense

Der Kinoklub plant sein Programm. Hör zu. Was für ein Film ist das?

Beispiel: **1** e – Komödie

Kinoklub – Herbstprogramm

Jeden Mittwoch um 14 Uhr in der Aula

1 Türkisch für Anfänger
2 Das Dschungelbuch
3 Schreckenshaus der Zombies
4 Anna Karenina
5 Avatar
6 Twilight – Bis(s) zum Morgengrauen
7 Die drei Musketiere
8 Liebe braucht keine Ferien

a Actionfilm

b Drama

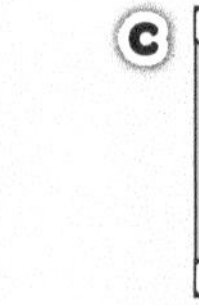

c Fantasyfilm

d Horrorfilm

e Komödie

f Liebeskomödie

g Science-Fiction-Film

h Zeichentrickfilm

Hör zu und sieh dir das Programm in Aufgabe 1 noch mal an. Wie ist der Film? Schreib die Adjektive auf. (1–8)

Beispiel: **1** Türkisch für Anfänger – lustig

interessant

lustig

spannend

unterhaltsam

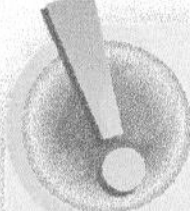

blöd

romantisch

gruselig

kindisch

langweilig

schrecklich

Qualifiers like ***ein bisschen***, ***sehr***, ***ziemlich*** and ***zu*** make your opinions more precise:

*Ich finde den Film **ein bisschen** kindisch.*

I find the film **a bit** childish.

Here are some more you can use:

total | so | gar nicht

*Der Film ist **total** lustig.*

The film is **absolutely** hilarious.

*Horrorfilme sind **gar nicht** unterhaltsam, weil sie **so** gruselig sind.*

Horror films are **not at all** entertaining, because they are **so** creepy.

3 SPRECHEN

Partnerarbeit. Lies die Sätze vor. Was ist deine Meinung?

Pair work. Read the sentences aloud. What is your opinion?

Beispiel: **1**

- *Ich sehe sehr gern Liebeskomödien.*
- *Ich auch! Ich finde Liebeskomödien so (lustig).*

1 Ich sehe sehr gern Liebeskomödien.
2 Ich finde Dramen total langweilig.
3 Ich sehe nicht gern Actionfilme. Sie sind gar nicht interessant.
4 Mein Lieblingsfilm ist „Avatar“, weil er spannend ist.
5 Ich hasse Horrorfilme, weil sie so gruselig sind.
6 Ich mag Fantasyfilme, weil sie unterhaltsam sind.

Hör zu und lies.

Interview mit einem Star: Jan-Philipp

Wann bist du das letzte Mal ins Kino gegangen?
Ich bin letztes Jahr ins Kino gegangen. Ich gehe nicht sehr oft ins Kino.

Jan-Philipp

Hast du neulich einen Film gesehen?
Ja, ich habe am Wochenende mit meiner Freundin Nicole eine DVD gesehen.
Was habt ihr gesehen?
Wir haben eine Liebeskomödie gesehen.
Wie hast du den Film gefunden?
Ich finde Komödien toll, weil sie oft sehr lustig sind, aber ich habe den Film total blöd gefunden.
Warum war der Film blöd?
Der Film war gar nicht lustig und die Personen waren nervig.
Und deine Freundin, hat sie den Film blöd gefunden?
Nein, ich denke, sie hat den Film unterhaltsam gefunden, weil ihr Lieblingsschauspieler im Film gespielt hat.
Was ist dein Lieblingsfilm?
Hmm ... ich glaube, mein Lieblingsfilm ist „Der Herr der Ringe", weil er sehr spannend ist und weil ich Fantasyfilme immer interessant finde. Ich habe den Film oft gesehen, weil er so gut ist.
Was wirst du nächstes Wochenende sehen?
Also, ich werde keine Liebeskomödie sehen! Ich möchte einen James-Bond-Film sehen – aber meine Freundin ist kein James-Bond-Fan!

das letzte Mal = the last time
neulich = recently
finden, hat gefunden = to find, found
der/die Schauspieler(in) = actor/actress

Lies das Interview noch mal. Sind die Sätze richtig oder falsch?

Beispiel: **1** falsch

1 Jan-Philipp ist am Wochenende ins Kino gegangen.
2 Jan-Philipp mag Komödien.
3 Er hat den Film unterhaltsam gefunden.
4 „Der Herr der Ringe" ist ein Fantasyfilm.
5 Jan-Philipp wird am Wochenende eine Liebeskomödie sehen.
6 Er mag Bond-Filme nicht.

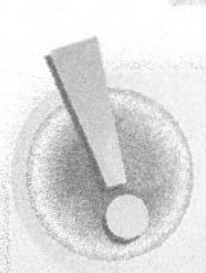

Remember the three ways of saying 'you':

du → friend, someone your age, family member

ihr → two or more friends, family members

Sie → polite form for one or more adults

The interviewer uses ***du*** because it is an informal magazine interview with a fairly young person.

Partnerarbeit. Stell und beantworte Fragen über Filme.

- Wann bist du ins Kino gegangen?
- Was hast du gesehen?
- Wo hast du den Film gesehen?
- Wie hast du den Film/die Schauspieler(innen) gefunden? Warum?
- Wer ist dein(e) Lieblingsschauspieler(in)? Warum?
- Was wirst du das nächste Mal sehen?

Grammatik

Page 44

To form questions in the perfect tense, start with the question word, then put the part of the verb ***haben*** or ***sein*** followed by the subject. The **past participle** goes at the end of the question:

*Warum **hast** du den Film furchtbar **gefunden**?*
Why did you find the film awful?

*Wann **bist** du ins Kino **gegangen**?*
When did you go to the cinema?

Schreib ein Blog über Filme. Sieh dir Aufgabe 4 als Hilfe an.

Write a blog about your film preferences. Look at exercise 4 for support.

- Say what type of films you really like and don't like.
- Say what your favourite film is.
- Say who your favourite actor/actress is.
- Give reasons.
- Say something about a film you have seen recently (what it was called, when and where you watched it, what you thought of it, why).
- Say what film you will watch next weekend.

Ich sehe sehr gern Actionfilme, aber ich hasse Dramen! Mein Lieblingsfilm ist ... und mein(e) Lieblingsschauspieler(in) ist ..., weil ...

Ich bin letzte Woche ins Kino gegangen. Ich habe ... Nächstes Wochenende werde ich ...

2 Guck mal!

- Talking about programmes you watch
- Using the modal verb **wollen**

1 Hör zu. Was passt zusammen? (1–8)

Beispiel: **1** g

Was siehst du gern? | Ich sehe gern ...

Was siehst du nicht gern? | Ich sehe nicht gern ...

The verb ***gucken*** means the same as ***sehen***. Be careful with pronunciation – the **g** is pronounced **k**.

a Musikvideos

b Sportsendungen

c Dokumentationen

d Seifenopern

e die Nachrichten

f Gameshows

g Realityshows

h Sitcoms und Serien

2 Hör noch mal zu. Notiere die Sendung, die Meinung und ein Adjektiv. (1–8)

Beispiel: **1** Realityshows ☺ cool

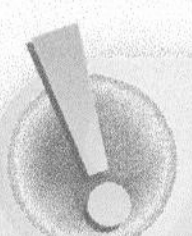

Remember these ways of giving your opinion:

 ***Ich sehe sehr gern ...*** 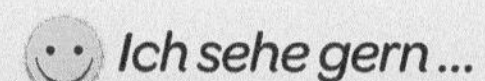 ***Ich sehe gern ...***  ***Ich sehe nicht gern ...***  ***Ich hasse ...***

Think carefully about the spelling of the adjectives you hear. Check what you have written by looking at ***Wörter*** (page 46).

3 Partnerarbeit. Was siehst du gern und nicht gern? Warum? Mach Dialoge.

Beispiel:

- ● *Was siehst du gern?*
- ■ *Ich sehe gern (Musikvideos). Sie sind (cool).*
- ● *Und was siehst du nicht gern?*
- ■ *Ich hasse (Sportsendungen), weil sie (langweilig) sind.*

Remember that ***sehen*** is irregular in these present tense forms: ***du siehst***, ***er/sie/es sieht***.

4 Hör zu und sieh dir die Tipps an. Welche Sendung ist das? (1–8)

Beispiel: **1** Der Europapokal

Tipps für heute

Emmental – die tägliche Seifenoper. Heute: Jasmin kommt zurück!
Die Welt heute – Nachrichten und Wetter für Ihre Region
Der Europapokal – die tolle Sportsendung mit Spiel und Kommentar
Geld und Glück – die unterhaltsame Gameshow aus München
Drei Freunde – die populäre Sitcom (schon die 5. Serie)
Hits der Woche – die Top-Musikvideos der Woche
Talentierte Schweizer – die Realityshow aus der Schweiz
Wild in Afrika – eine Dokumentation über Tiere in der Savanne

Hör zu und lies.

Harry ist ein Austauschschüler aus England. Lukas, Anna und ihre Eltern wollen heute Abend fernsehen, aber was sehen sie?

Lukas Was willst du heute Abend sehen, Harry?
Harry Ich sehe gern Sport. Ich will den Europapokal sehen.
Vati Hmm, Fußball ist nicht sehr interessant, finde ich.
Lukas Es gibt einen guten Film im Ersten – er heißt „Casino Royale". Ich will den Film gucken.
Anna Ja, ich auch. Ich mag Actionfilme. Harry, willst du „Casino Royale" sehen?
Harry Ich habe den Film schon gesehen, aber er ist spannend und ich habe die deutsche Version noch nicht gesehen. Also OK, wir sehen den Film.
Anna Aber ich will auch „Wer wird Millionär?" nicht verpassen. Können wir die Gameshow aufnehmen und morgen gucken?
Lukas Ja, gute Idee. Und was wollt ihr vor dem Film gucken?
Mutti Ich will die Tagesschau gucken.
Anna Nachrichten? Du spinnst! Die sind so langweilig. Ich will „Gute Zeiten, schlechte Zeiten" sehen – das ist ziemlich blöd, aber ich mag Seifenopern.
Lukas OK, wir gucken die Seifenoper. Und Mutti kann die Nachrichten im Radio hören!

der Austauschschüler = exchange pupil
schon = already
noch nicht = not yet
verpassen = to miss
aufnehmen = to record

Grammatik

Page 44

The modal verb ***wollen*** (to want) is irregular in the singular of the present tense.

Like all modal verbs, ***wollen*** is used with another verb in the infinitive which goes at the **end** of the sentence:

*Ich **will** die Nachrichten **sehen**.* I want to watch the news.

How many forms of ***wollen*** can you find in the conversation?

*ich **will***	*wir **wollen***
*du **willst***	*ihr **wollt***
*er/sie/es **will***	*Sie/sie **wollen***

Beantworte die Fragen auf Englisch.

1 Which sport is presented in the *Europapokal*?
2 Which version of *Casino Royale* has Harry not yet seen?
3 What do they decide to do about *Wer wird Millionär*?
4 What kind of programme is the *Tagesschau*?
5 What two programmes do they agree to watch?
6 What will Mum have to do to get the news?

Partner- oder Gruppenarbeit. Du willst heute Abend mit deinen Freunden fernsehen, aber alle wollen eine andere Sendung sehen! Was wollt ihr sehen? Mach Dialoge.
Beispiel:

- *Was wollen wir heute Abend sehen? Ich will (eine Gameshow) sehen.*
- *Oh nein, das ist (so blöd). Ich will (...) gucken, weil ...*

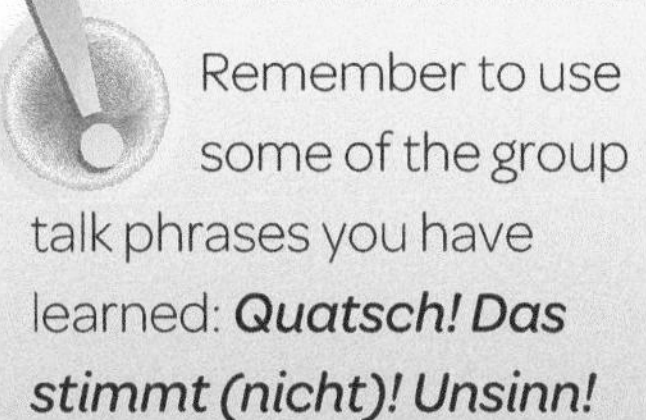

Remember to use some of the group talk phrases you have learned: ***Quatsch! Das stimmt (nicht)! Unsinn!***

Schreib ein kurzes Gespräch. Sieh dir Aufgabe 5 als Beispiel an.

- Ask and answer questions about what you want to watch on TV tonight.
- Say what kind of TV programmes you like and don't like.
- Mention something that you have already seen or have not seen (past tense) – *Ich habe (den Film/die Sendung) schon/letzte Woche/noch nicht gesehen.*

3 Leseecke

- Talking about your reading preferences
- Using prepositions with the dative case

Hör zu. Was lesen sie? Lesen sie das gern 🙂 oder nicht gern 🙁? (1–6)

Beispiel: **1** c 🙂, e 🙂

Was liest du gern?	Ich lese gern ...
Was liest du nicht gern?	Ich lese nicht gern ...

Remember that ***lesen*** is irregular in these present tense forms: ***du liest***, ***er/sie/es liest***.

a 

Zeitschriften

b 

Zeitungen

c 

Comics

d 

Romane

e 

Fantasybücher

f 

Sachbücher

g 

Biografien

h 

Blogs

i 

Websites

Krimis = crime/detective stories

Lies die Tweets. Finde die drei richtigen Sätze. (1–5)

@animefan	Ich lese gern Comics. Und ihr, was lest ihr?
@buchwurm21	Ich lese gern Sachbücher, aber ich lese lieber Romane.
@chaotisch_toll	Ich mag Comics und Zeitschriften, aber am liebsten lese ich Biografien, weil sie interessant sind.
@desperado04	Am liebsten lese ich Fantasyromane. Ich finde sie sehr unterhaltsam.
@echo-o-o-o	Ich lese nicht gern! Ich spiele lieber Computerspiele und am liebsten sehe ich Horrorfilme!

1 @animefan und @chaotisch_toll lesen gern Comics.
2 @buchwurm21 liest lieber Romane.
3 @chaotisch_toll liest am liebsten Zeitschriften.
4 @desperado04s Lieblingsbücher sind Fantasyromane.
5 @echo-o-o-o liest am liebsten Horrorbücher.

Grammatik

Page 45

*Ich lese **gern** Zeitschriften.*
I **like** reading magazines.

*Ich lese **nicht gern** Blogs.*
I **don't like** reading blogs.

*Ich lese **lieber** Comics.*
I **prefer** reading comics.

*Ich lese **am liebsten** Romane.*
I **like** reading novels **best**.

It often sounds better to start a sentence with ***am liebsten***, but remember to put the verb second:

Am liebsten *lese ich Zeitschriften.*
Best of all, I like reading magazines.

Partnerarbeit. Mach Dialoge.

Beispiel:

- *Ich lese gern (Zeitungen). Und du?*
- *Oh nein, ich lese nicht gern (Zeitungen). Ich lese lieber (Comics).*
- *Und was liest du am liebsten?*
- *Am liebsten lese ich (Sportzeitschriften). Und du?*

Hör zu und sing mit.

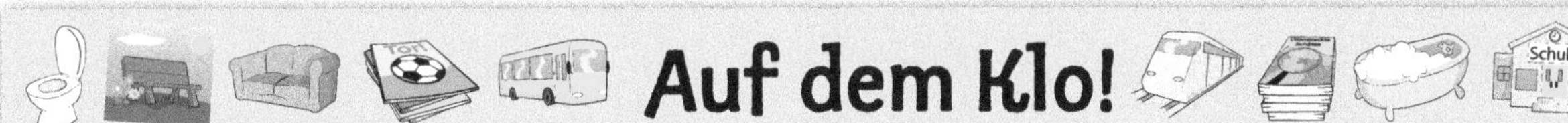

Auf dem Klo, auf dem Klo.
Ich lese gern auf dem Klo.
Nicht im Garten, nicht im Park,
Auch nicht auf dem Sofa.
Auf dem Klo, auf dem Klo.
Comics oder Bücher.

Du spinnst wohl!

In der Schule, in der Schule.
Ich lese immer in der Schule.
In der Pause, auf dem Hof,
Auch im Klassenzimmer.
In der Schule, in der Schule.
Blogs am Computer!

Das ist ja blöd!

Warm im Bett, im Schlafzimmer
Lese ich Fantasybücher.
In der Badewanne nicht,
Im Bus, im Zug, nein danke.
Warm im Bett, im Schlafzimmer
Lese ich Romane.

Das ist so toll!

Gruppenarbeit. Wo lesen sie am liebsten? Sieh dir das Balkendiagramm an. Rate mal.

Beispiel:

- *Ich denke, drei Prozent lesen auf dem Klo!*
- *Was? Du spinnst! Ich denke, drei Prozent lesen in der Badewanne!*

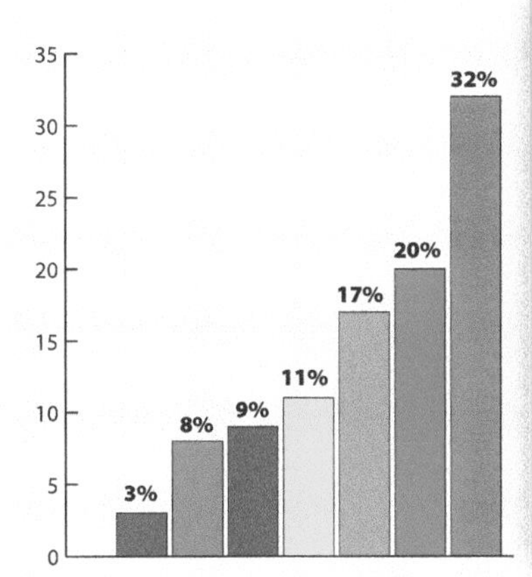

im Bus oder im Zug
im Garten oder im Park
im Bett oder im Schlafzimmer
in der Schule oder auf dem Hof
in der Badewanne
auf dem Sofa
auf dem Klo

Grammatik Page 45

The prepositions ***auf*** (on) and ***in*** (in) change the words for 'the' and 'a':

der/das ➜ ***dem*** *die* ➜ ***der***

ein ➜ ***einem*** *eine* ➜ ***einer***

You usually shorten *in dem* ➜ ***im***:

der *Park* ➜ ***in dem*** *Park* ➜ ***im*** *Park* (in the park)

das *Bett* ➜ ***in dem*** *Bett* ➜ ***im*** *Bett* (in bed)

Hör zu und überprüfe.

Wie heißt das auf Deutsch? Schreib es auf.

Beispiel: **1** Ich lese gern Comics in der Pause.

1. I like reading comics in the break.
2. I like to read text messages on the mobile phone.
3. I don't like reading magazines in the car.
4. I prefer reading web pages on the computer.
5. Most of all I like reading factual books in school.

Ich lese	*gern* *nicht gern* *lieber* *am liebsten*	*Comics* *Sachbücher* *SMS* *Websites* *Zeitschriften*	*am*	*Computer.*
			auf dem	*Handy.*
			im	*Auto.*
			in der	*Pause.* *Schule.*

Schreib einen Bericht.

- Was liest du gern/lieber/am liebsten?
- Wo liest du am liebsten? Warum?
- Was willst du (am Wochenende) lesen?
- Was wirst du (in den Ferien) lesen?

4 Bist du süchtig?

- Discussing screen time
- Using modal verbs **sollen, dürfen, können**

Was passt zusammen? Finde die Paare.
Beispiel: **1** f

Wie oft sitzt du vor dem Bildschirm?
1 eine Stunde pro Tag
2 zwei bis drei Stunden pro Tag
3 nicht mehr als vier Stunden pro Tag
4 ab und zu
5 mehr als 20 Stunden pro Woche
6 oft nach den Hausaufgaben
7 nur am Wochenende
8 immer von 20 bis 22 Uhr

a 

b 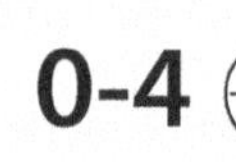

c 

d 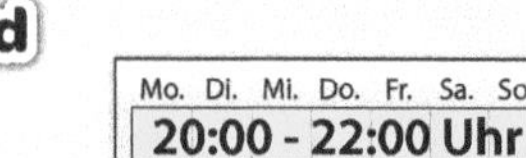

e 

g 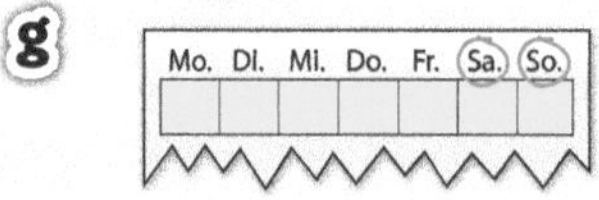

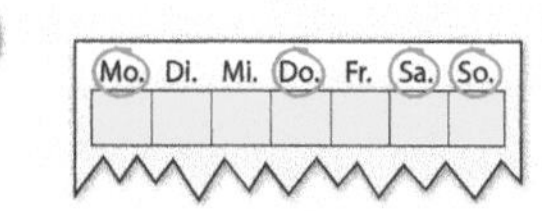

Hör zu. Wie oft machen Tim und Maja das? Schreib die Tabelle ab und füll sie aus.

Tim		*2 bis 3 Stunden pro Tag*	
Maja			

Grammatik

Page 44

To express what you **should** do in German, use these forms of the modal verb ***sollen***.

*ich soll**te***	*wir soll**ten***
*du soll**test***	*ihr soll**tet***
*er/sie/es/man soll**te***	*Sie soll**ten***
	*sie soll**ten***

Like other modal verbs, such as ***dürfen*** ('to be allowed to'), ***sollen*** sends an infinitive to the end of the sentence.

It is often used in the ***man*** form to say what people should/ought to do. Use it with ***nicht*** to mean 'should not/ ought not'.

*Man **sollte** öfter draußen **spielen**.*
You **ought** to play outside more often.

*Man **sollte nicht** so viel **fernsehen**.*
You **shouldn't** watch so much TV.

Finde die Paare.
Beispiel: **1** c

öfter = more often **draußen** = outside

1 Ich darf nach den Hausaufgaben Xbox spielen.
2 Ich kann nur am Wochenende fernsehen.
3 Ich will mehr als drei Stunden pro Tag Wii spielen.
4 Man sollte öfter draußen spielen.
5 Man sollte nicht mehr als zwei Stunden pro Tag vor dem Computer sitzen.

Schreib Sätze.

1 Ich (dürfen) 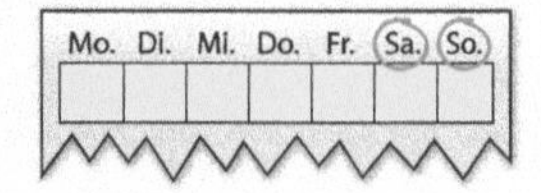

2 Man (sollen)  

3 Ich (sollen) 

4 Du (sollen) öfter 

Finde die Paare.

1	das geht mir auf die Nerven	a	that's (not) true
2	das ist (un)gesund	b	that gets on my nerves
3	das ist passiv	c	in my opinion ...
4	das macht (un)fit	d	I'm (not) addicted
5	das macht Spaß	e	that's fun
6	das stimmt (nicht)	f	you're right
7	du hast Recht	g	Nonsense!
8	ich bin (nicht) süchtig	h	that's passive
9	meiner Meinung nach ...	i	that's (not) healthy
10	Unsinn!	j	that makes you (un)fit

Lies das Forum und beantworte die Fragen auf Englisch.

Khaled
Ich sehe normalerweise zwei oder drei Stunden pro Tag fern und ich spiele vielleicht eine Stunde Xbox. Und natürlich verbringe ich ziemlich viel Zeit auf Facebook. Meine Eltern finden, ich sollte nicht so viel Zeit vor dem Bildschirm verbringen. Das geht mir auf die Nerven!

Sophie
Meiner Meinung nach ist das normal, Khaled. Ich habe einen Fernseher und einen Computer im Zimmer. Ich kann meine Freunde über Facebook kontaktieren und ich sehe abends Soaps und Sitcoms. Meine Eltern finden das OK.

Thomas
Khaled, deine Eltern haben Recht. Du bist nicht aktiv. Ich darf nicht mehr als eine Stunde pro Tag fernsehen und das finde ich fair.

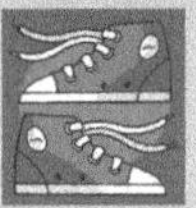

Finn
„Mecker, mecker, mecker! Das ist passiv, das ist ungesund, das macht unfit ..." Unsinn! Ich habe gestern gar nicht ferngesehen, aber morgen werde ich vielleicht ein bisschen fernsehen. Ich spiele sehr oft mit Freunden auf der Wii – Tennis, Golf, Radfahren ... Ja, das stimmt, wir sind vor dem Bildschirm, aber das macht Spaß, weil wir zusammen spielen, und das macht fit, weil wir aktiv sind. Ich bin nicht süchtig, ich bin ein normaler Teenager und das ist gesund!

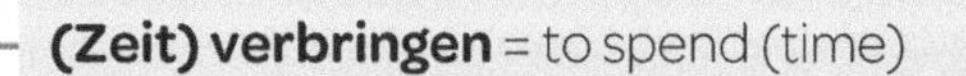

(Zeit) verbringen = to spend (time) **meckern** = to nag

1 What gets on Khaled's nerves?
2 Which person agrees with Khaled's parents?
3 What does Sophie have in her room?
4 How much TV is Thomas allowed to watch?
5 What does he think of that?
6 Who finds computer games active and sociable?

Gruppenarbeit. Wie viel Zeit sollte man vor dem Bildschirm verbringen? Warum denkst du das?
Beispiel:

- *Ich finde, man sollte nicht mehr als zwei Stunden pro Tag vor dem Bildschirm sitzen. Das macht unfit ...*
- *Du spinnst! Ich darf ... Ich finde das ..., weil ...*

Wie viel Zeit verbringst du vor dem Bildschirm? Wie finden deine Eltern das? Schreib ein paar Sätze auf.
Beispiel:

Ich sehe zwei bis drei Stunden pro Tag fern und ich ... Meine Eltern finden das ..., weil ...

Reading Skills

5 Rezensionen

- Understanding opinions and media reviews
- Reading for gist

1 Lies die Rezensionen und beantworte die Fragen auf Englisch.

When you first read a longer text like these reviews, don't panic! Read it through and get a general impression. You can start to look for more detail later. Look at the task you have to do and focus on what you need in order to complete it.

Gar nicht schlecht!

Von Erika K.

Ich habe den Film zweimal gesehen und mein Freund hat mir gesagt: „Du solltest den Roman lesen, er ist toll." Normalerweise lese ich nicht sehr gern, ich sehe lieber Filme, aber ich habe den Roman gekauft.

Mein Freund hat recht und ich habe „Morgen kommt schnell" an einem Wochenende gelesen, weil es so spannend war. Meiner Meinung nach sind die Personen realistisch und ich habe Adam sehr interessant gefunden. Er hat einen komplexen Charakter – freundlich und romantisch, aber auch ziemlich arrogant.

Was habe ich nicht so toll gefunden? Der Autor hat die Szene in der Stadtmitte zu gruselig gemacht. Ich will nicht sagen, wie der Roman endet, aber ich habe das Ende ein bisschen unrealistisch gefunden.

Alles in allem kann ich „Morgen kommt schnell" empfehlen, weil die Personen interessant sind und die Geschichte faszinierend ist. Ich werde den nächsten Roman in der Serie lesen und ich denke, er wird auch so toll sein.

War diese Rezension für Sie hilfreich? Ja Nein

So blöd!

Von Boris W.

Ich werde den Film gar nicht gucken, weil das Buch so blöd ist. Der Titel heißt „Morgen kommt schnell", aber meiner Meinung nach sollte er „Morgen kommt sehr langsam" heißen. Die Story ist zu langweilig, die Personen sind kindisch und blöd. Luca finde ich zu passiv und Katja geht mir auf die Nerven.

Zwei Pluspunkte: Das Buch ist kurz (es hat nur 160 Seiten) und man kann es auf einem E-Reader lesen (Freunde können dann nicht sehen, was man liest!).

War diese Rezension für Sie hilfreich? Ja Nein

To get a general impression of what a text is about:

- use clues, such as titles, pictures and symbols, to help you
- look for positive and negative expressions.

hilfreich = helpful

Erika

1 Is Erika's review of a book or a film?
2 Is her overall opinion positive or negative?
3 Which paragraphs back this up?
4 Which paragraph gives a different impression?
5 Does her review make you want to find out more? Why?

Boris

6 Is Boris's overall opinion positive or negative?
7 Why does he give an alternative title?
8 Which two characters does he name?
9 How many positive points does Boris identify?
10 Does his review make you want to find out more? Why?

If the text contains a word you do not know:

- decide whether you really need to know the word
- try to work it out from the context or from words you already know
- as a last resort, look it up in the glossary or a dictionary.

Things to remember when looking in a dictionary:

- Verbs are listed in the infinitive form.
- Depending on the dictionary you use, verbs have *vb*, *vt*, *vi* after them.
- Adjectives are listed without any endings.

empfehlen *vt* to recommend, suggest

kindisch *adj* childish, immature

- Nouns start with a capital letter and are followed by the gender (*m*, *f*, *nt*) and the way the plural is formed.
- Different meanings are given, sometimes with an explanation or example. The symbol ~ is used instead of repeating the main word. When you look up new words, you need to be confident of getting the right meaning.

Freund *m* **–e**, (a) friend ***als*** ~ as a friend, (b) boyfriend ***fester*** ~ steady boyfriend

Schreib diese Wörter aus dem Text auf Englisch auf. Schlag im Wörterbuch nach.

1 Geschichte
2 Personen
3 Seiten
4 von
5 hat recht
6 alles in allem

Each of the words in exercise 2 has a few different meanings. Write down the main meanings and then choose the correct one for the text on page 38.

For numbers 2 and 3 you need to know the singular. For number 5 you need to know what the infinitive of ***hat*** is and then decide which of the two words to look up.

Partnerarbeit. Was ist dein Lieblingsbuch oder dein Lieblingsfilm? Warum? Schreib Notizen, dann mach einen kurzen Dialog.
Beispiel:

- ● *Was ist dein Lieblingsbuch oder dein Lieblingsfilm?*
- ■ *Mein Lieblingsbuch ist („Der Hobbit"). Das ist (ein Roman) von (J. R. R. Tolkien).*
- ● *Warum magst du (den Roman)?*
- ■ *Ich mag („Der Hobbit"), weil es ein (spannendes/faszinierendes) Buch ist. Die Personen sind (interessant) und ich finde ... Der Roman ist (nicht sehr lang), aber ...*
- ● *Hast du den Film gesehen?*
- ■ *Ja, (aber ich habe den Film nicht so gut gefunden, weil ...). Und du? Was ist dein Lieblingsbuch/-film?*

Lies die Rezensionen in Aufgabe 1 noch mal. Beantworte die Fragen auf Englisch.

Erika

1 What is Erika's usual attitude to books and films?
2 Why did Erika buy the book?
3 How long did it take her to read the book?
4 What makes Adam interesting yet complicated?
5 What is her opinion of the ending?
6 Say **two** things about the next book in the series.

Boris

7 Has Boris seen the film? Why (not)?
8 What does he think of the book's storyline?
9 Who are Luca and Katja?
10 Why is Boris glad he bought the e-book version?

Extension

6 Ich kann Deutsch

- Talking about speaking different languages
- Using and understanding different tenses

Hör zu und lies.

Wir haben heute im Studio die Schauspielerin und Autorin Laura Gibson. Hallo und willkommen in Hamburg.

Danke, ich reise sehr gern und Hamburg ist eine tolle Stadt – es ist so schön hier.

Wo wohnen Sie jetzt?

Ich wohne in London, aber ich habe auch ein kleines Haus in Los Angeles gekauft, weil ich oft in Amerika bin.

Wann hat Ihre Karriere als Schauspielerin begonnen?

Ich habe einen Film in der Schule gemacht – ich war acht Jahre alt. Ich habe den Film neulich noch einmal geguckt und ich habe gelacht ... der Film war nur zehn Minuten lang und er war schrecklich!

Was machen Sie im Moment?

Wir filmen in Italien. Das ist ein Actionfilm, aber ich darf nicht mehr sagen.

Sprechen Sie Italienisch?

Ja, ich kann ein bisschen Italienisch, aber ich spreche lieber Deutsch. Ich habe es in der Schule gelernt und es ist meine Lieblingsfremdsprache!

Wie viele Sprachen können Sie?

Englisch (natürlich, weil ich Engländerin bin!). Ich spreche gut Deutsch und Französisch und ich kann ein bisschen Italienisch und Spanisch. Also fünf Sprachen. Ich will auch Japanisch lernen.

Warum wollen Sie Japanisch lernen?

Ich habe Japan immer interessant gefunden, also warum nicht?

Sie haben recht, das ist toll. Und meine letzte Frage: Was machen Sie nächstes Jahr?

Ich habe einen Liebesroman geschrieben und man kann das Buch im März kaufen. Ich hoffe, Sie werden „Drei Stunden im Park" lesen!

Ja, sicher. Also vielen Dank Laura Gibson.

Gern geschehen!

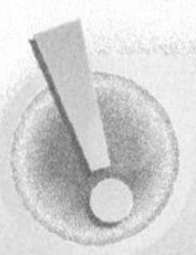

To say that you can speak a language, you don't need to use the verb ***sprechen***:

*Ich **kann** Französisch.* I can speak French.

reisen = to travel
meine Lieblingsfremdsprache = my favourite foreign language
Gern geschehen! = You're welcome!

Füll die Lücken aus. Übersetze die Sätze ins Englische.

1 Laura hat das Interview in ______ gemacht.
2 Laura wohnt in ______.
3 Sie war ______ Jahre alt im ersten Film.
4 Sie filmt einen Actionfilm in ______.
5 Sie kann ______ Sprachen.
6 Sie hat ______ in der Schule gelernt.
7 Sie will Japanisch lernen, weil sie ______ interessant findet.
8 „Drei Stunden im Park" ist ein ______.

fünf, zehn, Deutsch, acht, Film, Frankreich, Italien, Hamburg, Japan, London, Roman, Spanien

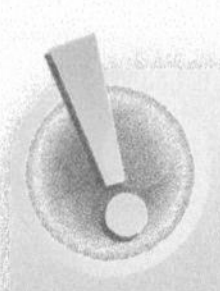

Watch out! There are more words than you need, so make sure you choose the right ones.

Lies die Texte über die Persönlichkeiten. Finde in den Sätzen (1–10) die Fehler.
Read the texts about the celebrities. Find the mistakes in the sentences.

Der Schauspieler **Leonardo DiCaprio** hat Familie in Deutschland und kann gut Deutsch. Das hat er von seiner Mutter und seinen Großeltern gelernt.

Eddie Izzard ist Schauspieler, Komiker, Marathonläufer … und Linguist: Er kann Deutsch, Französisch und ein bisschen Arabisch. Er hat sogar Comedy-Shows in Fremdsprachen gemacht – das ist gar nicht so einfach!

Der Fußballmanager **Arsène Wenger** ist in Frankreich geboren, aber er lebt jetzt in England. Er kann fließend Französisch, Deutsch und Englisch und er spricht auch Italienisch, Spanisch und Japanisch.

Die Schauspielerin **Natalie Portman** hat einen israelischen Vater und eine amerikanische Mutter. Sie spricht fließend Englisch und Hebräisch, aber sie kann auch Deutsch, Spanisch, Japanisch und Französisch. Sie hat „V wie Vendetta" in Berlin gefilmt. Bei dem Filmteam war sie sehr populär, weil sie Deutsch gesprochen hat.

Die Amerikanerin **Kirsten Dunst** ist Schauspielerin, Sängerin und Model. Sie hat einen deutschen Vater und eine deutsch-schwedische Mutter. Sie kann fließend Deutsch und 2011 hat sie sogar einen deutschen Pass bekommen.

Remember that ***sprechen*** (to speak) is irregular in the present tense – the vowel changes from **e** to **i**: ***du sprichst, er/sie/man spricht***.
The perfect tense is also irregular: ***hat gesprochen***.

1 Leonardo DiCaprio ist Fußballspieler.
2 Seine Mutter spricht kein Deutsch.
3 Eddie Izzard ist gar nicht sportlich.
4 Er spricht sehr gut Arabisch.
5 Arsène Wenger wohnt in Frankreich.
6 Arsène Wenger spricht sechs europäische Sprachen.
7 Natalie Portmans Vater kommt aus Amerika.
8 In Berlin hat Natalie kein Deutsch gesprochen.
9 Kirsten Dunst kann nicht singen.
10 Sie darf keinen deutschen Pass haben.

ist geboren = was born
fließend = fluent
der Pass = passport

Schreib die Sätze aus Aufgabe 3 richtig auf.

Partnerarbeit. Wähl Persönlichkeiten aus. Mach Dialoge.
Beispiel:

- *Hallo (Natalie). Welche Fremdsprachen können Sie?*
- *Ich kann (Deutsch und …).*
- *Wo haben Sie (Deutsch) gelernt?*

***Bewertung!* (Rating)**
Wie viele Sterne? ☆☆☆

- How accurate were the questions and answers?
- How easy were they to understand?
- Did they include different tenses?
- How was the pronunciation?

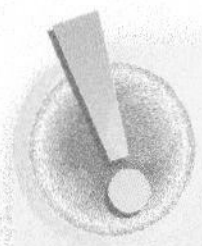

- Try to use different tenses in your questions and answers.
- Say as much as you can in your answers.
- If you don't know the answer, make up something appropriate!
- Use the texts on this page and in the rest of the chapter to help you.

Lernzieltest

I can...

1

● say what films I like	Ich sehe sehr gern Liebeskomödien.
● say what my favourite film is	Mein Lieblingsfilm ist „Skyfall".
● say what I think of films	Ich finde den Film ein bisschen kindisch.
■ use the different forms for saying 'you'	Wie **hast du** den Film gefunden? Wie **haben Sie** den Film gefunden?
■ ask questions in the perfect tense	Bist du mit Max ins Kino gegangen? Was habt ihr gesehen?

2

● say what programmes I like and don't like	Ich sehe gern Sportsendungen. Ich hasse Gameshows.
● ask others what they like and don't like to watch	Was siehst du gern oder nicht gern?
● use some group talk phrases	Quatsch! Das stimmt nicht!
■ use the modal verb ***wollen***	Ich **will** die Nachrichten **gucken**.

3

● say what I like and don't like reading	Ich lese gern Zeitschriften, aber ich lese nicht gern Biografien.
● say what I prefer reading	Ich lese **lieber** Comics.
● say what I like reading most of all	**Am liebsten** lese ich Romane.
■ use prepositions with the dative case	Ich lese gern **im** Garten oder **auf dem** Sofa.

4

● say how long I spend in front of a screen	Ich sitze zwei bis drei Stunden pro Tag vor dem Bildschirm.
● express my opinion about screen time	Das macht Spaß!
■ say what I'm allowed and not allowed to do using the modal verb ***dürfen***	Ich **darf** nach den Hausaufgaben Xbox **spielen**. Ich **darf nicht** mehr als vier Stunden pro Tag **fernsehen**.
■ say what I can do using the modal verb ***können***	Ich **kann** nur am Wochenende Xbox **spielen**.
■ say what I ought and ought not do using the modal verb ***sollen***	Ich **sollte** öfter draußen **spielen**. Ich **sollte nicht** so viel Zeit vor dem Bildschirm **verbringen**.
■ say what people should not do using the modal verb ***sollen***	**Man sollte** nicht so viel **fernsehen**.

5

● understand opinions in media reviews	Meiner Meinung nach ist der Roman toll.
use clues to understand the gist of a text	
look up words in a dictionary	

6

● talk about speaking different languages	Ich kann Deutsch.
use and understand different tenses	Ich spreche fließend Deutsch. Ich werde Japanisch lernen. Wo hast du Deutsch gelernt?

Wiederholung

Hör zu. Schreib die Tabelle ab und füll sie aus. (1–6)
Beispiel:

	Was?	Wo?	Wann?/Wie oft?
1	Komödien	im Fernsehen	nur am Wochenende

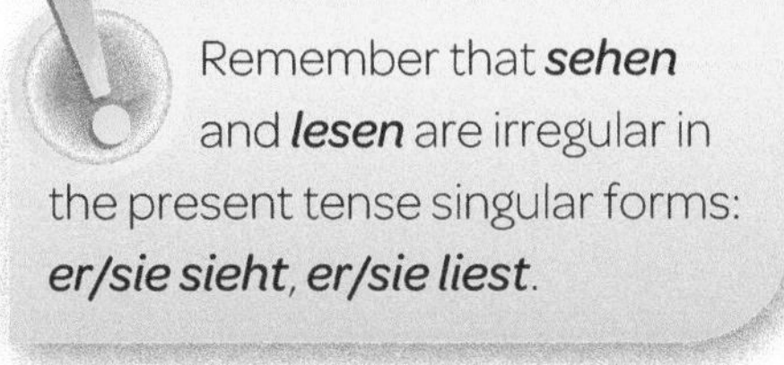
Remember that ***sehen*** and ***lesen*** are irregular in the present tense singular forms: ***er/sie sieht, er/sie liest.***

Partnerarbeit. Partner(in) A beschreibt eine Person. Partner(in) B schreibt es auf.
Beispiel:

- *Denis liest gern Zeitschriften, weil sie interessant sind, aber er sieht lieber ... Am liebsten ...*

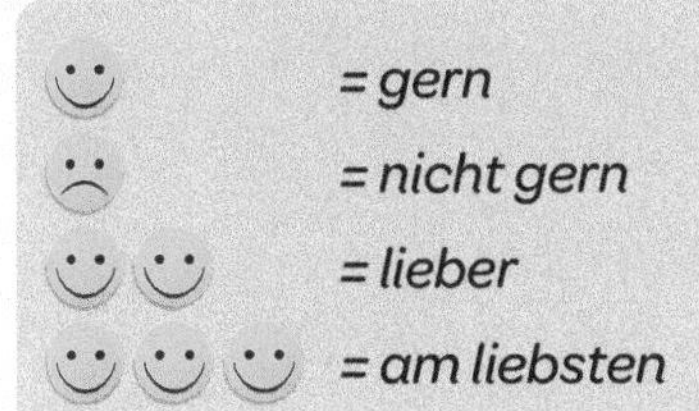

Lies die E-Mail. Welche vier Sätze sind richtig? Korrigiere die anderen Sätze.

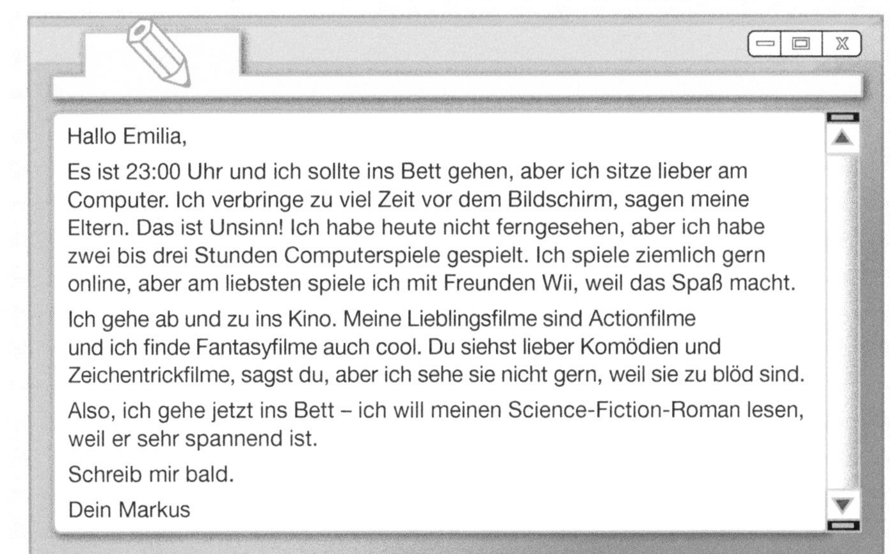
Hallo Emilia,

Es ist 23:00 Uhr und ich sollte ins Bett gehen, aber ich sitze lieber am Computer. Ich verbringe zu viel Zeit vor dem Bildschirm, sagen meine Eltern. Das ist Unsinn! Ich habe heute nicht ferngesehen, aber ich habe zwei bis drei Stunden Computerspiele gespielt. Ich spiele ziemlich gern online, aber am liebsten spiele ich mit Freunden Wii, weil das Spaß macht.

Ich gehe ab und zu ins Kino. Meine Lieblingsfilme sind Actionfilme und ich finde Fantasyfilme auch cool. Du siehst lieber Komödien und Zeichentrickfilme, sagst du, aber ich sehe sie nicht gern, weil sie zu blöd sind.

Also, ich gehe jetzt ins Bett – ich will meinen Science-Fiction-Roman lesen, weil er sehr spannend ist.

Schreib mir bald.

Dein Markus

1 Markus ist nicht im Bett.
2 Er hat heute zwei Stunden ferngesehen.
3 Am liebsten spielt er Computerspiele im Internet.
4 Markus findet Wii-Spiele unterhaltsam.
5 Er geht sehr oft ins Kino.
6 Markus findet Komödien zu blöd.
7 Markus liest nicht gern im Bett.
8 Er will sein Buch lesen.

Schreib einige Sätze über deine Familie und die Medien auf.
You could include ...

- what kind of films, books and programmes they prefer
- their favourite films, books and programmes
- how much screen time they have each week
- what they have seen or read recently.

Give as much information as you can, and try to join sentences using ***und, aber, weil*** (but remember to check the word order).

Grammatik

Questions in the perfect tense

To form questions in the perfect tense, start with the question word, then put part of the verb ***haben*** or ***sein*** followed by the subject. The past participle goes at the end of the question:

Warum hast du den Film furchtbar gefunden? Why did you find the film awful?

Wann sind Sie ins Kino gegangen? When did you go to the cinema?

To remind yourself of question words look at page 31.

1 Write out each question using the correct question word.

Example: **1** Warum haben Sie den Roman gekauft?

1 ________ haben Sie den Roman gekauft? (why?)
2 ________ hast du den Horrorfilm gefunden? (how?)
3 ________ hast du das Buch gekauft? (when?)
4 ________ hast du gestern Abend gesehen? (what?)
5 ________ ist mit Leo ins Kino gegangen? (who?)
6 ________ habt ihr den Film gesehen? (where?)

2 Match the questions in exercise 1 to the answers a–f.

Example: **1** d

a Ich habe eine Dokumentation gesehen.
b Ich habe das Buch heute gekauft.
c Wir haben den Film in Berlin gesehen.
d Ich habe den Roman gekauft, weil er spannend ist.
e Katja ist mit Leo ins Kino gegangen.
f Ich habe den Film sehr gruselig gefunden.

Modal verbs – *wollen, sollen*

The modal verbs ***wollen*** (to want) and ***sollen*** (should, ought to) are irregular:

ich will	*wir wollen*	*ich sollte*	*wir sollten*
du willst	*ihr wollt*	*du solltest*	*ihr solltet*
er/sie/es will	*Sie wollen*	*er/sie/es sollte*	*Sie sollten*
	sie wollen		*sie sollten*

Like all modal verbs, ***wollen*** and ***sollen*** are used with another verb in the infinitive and this goes at the **end** of the sentence:

Ich ***will*** *die Nachrichten* ***sehen***. I want to watch the news.
Ich ***sollte*** *öfter draußen* ***spielen***. I ought to play outside more often.

The verb ***sollen*** is often used in the ***man*** form to say what people should/ought to do. Use it with ***nicht*** to mean 'should not/ought not':

Man sollte nicht *so viel* ***fernsehen***. You shouldn't watch so much TV.

Beware of 'false friends'! ***Ich will*** does not mean 'I will'. To form the future, use ***werden*** + infinitive.

Ich ***will*** *meinen Comic lesen.* I **want** to read my comic.
Ich ***werde*** *die Zeitung lesen.* I **will** read the newspaper.

3 Translate the sentences into German.

Example: **1** Ich will nach Berlin fahren.

1 I want to go to Berlin.
2 Jonas wants to watch the film.
3 We ought to go to the cinema.
4 I should buy a newspaper.
5 When do you (du) want to read the magazine?
6 You (ihr) shouldn't play outside.

gern, lieber, am liebsten

You can add ***gern***, ***lieber*** or ***am liebsten*** to verbs to say that you like, prefer or most like doing something.

☺ *Ich lese* ***gern*** *Comics*. I **like** reading comics.

☹ *Ich lese* ***nicht gern*** *Blogs*. I **don't like** reading blogs.

☺ ☺ *Ich lese* ***lieber*** *Comics*. I **prefer** reading comics.

☺ ☺ ☺ *Ich lese* ***am liebsten*** *Romane*. I **like** reading novels **best**.

It often sounds better to start a sentence with ***am liebsten***, but remember to put the verb second:

Am liebsten *lese ich Zeitschriften*. **Best of all**, I like reading magazines.

4 Write out the sentences. Then translate them into English.

***Example:* 1** Ich lese gern Comics. I like reading comics.

1. Ich lese ☺ Comics.
2. Ich sehe ☹ Horrorfilme.
3. Ich gehe ☺ ☺ ins Kino.
4. Ich spiele ☺ ☺ ☺ Videospiele.
5. Alex liest ☺ Romane.
6. ☺ ☺ ☺ sehen wir fern.

5 Answer the questions about your preferences in German.

***Example:* 1** Ich spiele gern Videospiele.

1. Was machst du gern am Wochenende?
2. Was siehst du nicht gern im Kino?
3. Was guckst du lieber, Sportsendungen oder Filme?
4. Was liest du am liebsten?

Prepositions: *in* and *auf*

The prepositions ***in*** (in) and ***auf*** (on) change the words for 'the' and 'a' when there is no change of place involved. This is known as the ***dative case***. Masculine and neuter change in the same way:

masculine	*der* ➜ ***dem***	*ein* ➜ *ein**em***
feminine	*die* ➜ ***der***	*eine* ➜ *ein**er***
neuter	*das* ➜ ***dem***	*ein* ➜ *ein**em***

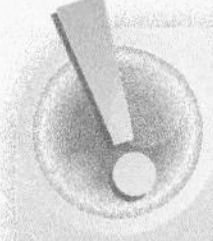

When there is change of place involved (into, onto), the accusative case is used. See page 69 for more information.

You usually shorten ***in dem*** to ***im***.

der *Bus* ➜ ***in dem*** *Bus* ➜ ***im*** *Bus*

die *Schule* ➜ ***in der*** *Schule*

das *Bett* ➜ ***in dem*** *Bett* ➜ ***im*** *Bett*

ein *Tisch* ➜ ***auf einem*** *Tisch*

eine *Zeitung* ➜ ***auf einer*** *Zeitung*

ein *Sofa* ➜ ***auf einem*** *Sofa*

6 Write out each sentence. Look up the gender of the nouns if you are not sure.

***Example:* 1** Das Handy ist auf der Zeitschrift.

1. Das Handy ist ______ d______ Zeitschrift.
2. Die Zeitschrift ist ______ d______ Tisch.
3. Eine Katze ist ______ d______ Bett.
4. Die Bücher sind ______ ein______ Tasche.
5. Die Tasche ist ______ ein______ Tisch.
6. Lukas ist ______ Bett.

7 Write four sentences about the picture using *in* and *auf*.

Wörter

Im Kino • At the cinema

der Actionfilm(e)	*action film*
das Drama (Dramen)	*drama*
der Fantasyfilm(e)	*fantasy film*
der Horrorfilm(e)	*horror film*
die Komödie(n)	*comedy*
die Liebeskomödie(n)	*romantic comedy, rom-com*
der Science-Fiction-Film(e)	*science fiction film*
der Zeichentrickfilm(e)	*cartoon*
Ich bin ins Kino gegangen.	*I went to the cinema.*
Ich habe zu Hause eine DVD gesehen.	*I watched a DVD at home.*

Wie hast du den Film gefunden? • What did you think of the film?

Ich habe den Film (furchtbar) gefunden.	*I thought the film was (awful).*
der Schauspieler(–)	*actor*
die Schauspielerin(nen)	*actress*
blöd	*stupid*
gruselig	*creepy*
interessant	*interesting*
kindisch	*childish*
langweilig	*boring*
lustig	*funny*
romantisch	*romantic*
schrecklich	*terrible*
spannend	*exciting*
unterhaltsam	*entertaining*

Im Fernsehen • On TV

Was siehst du gern?	*What do you like watching?*
Ich sehe (sehr/nicht) gern ...	*I (really/don't) like watching ...*
ich hasse	*I hate*
gucken/sehen	*to watch*
die Dokumentation(en)	*documentary*
die Gameshow(s)	*game show*
das Musikvideo(s)	*music video*
die Nachrichten (pl)	*news*
die Realityshow(s)	*reality show*
die Seifenoper(n)	*soap opera*
die Sitcom(s)	*sitcom*
die Serie(n)	*series*
die Sportsendung(en)	*sports programme*

Was liest du gern? • What do you like reading?

Ich lese gern ...	*I like reading ...*
Ich lese nicht gern ...	*I don't like reading ...*
Ich lese lieber ...	*I prefer reading ...*
Ich lese am liebsten ...	*I like reading ... most of all*
der Comic(s)	*comic*
der Roman(e)	*novel*
die Zeitschrift(en)	*magazine*
die Zeitung(en)	*newspaper*
die Website(s)	*website*
das Fantasybuch(¨er)	*fantasy book*
das Sachbuch(¨er)	*factual/non-fiction book*
die Biografie(n)	*biography*
das Blog(s)	*blog*

Wo liest du? • Where do you read?

im Bus	*on the bus*
im Zug	*on the train*
im Garten	*in the garden*
im Park	*in the park*
im Bett	*in bed*
im Schlafzimmer	*in the bedroom*
in der Pause	*in the break, at breaktime*
in der Schule	*in school*
in der Badewanne	*in the bath*
auf dem Sofa	*on the settee*
auf dem Klo	*on the loo*
auf dem Hof	*on/in the school yard*
auf dem Handy	*on the mobile phone*
am Computer	*on the computer*

Bist du süchtig? • Are you addicted?

eine Stunde pro Tag	*an hour a day*
zwei bis drei Stunden pro Tag	*two to three hours a day*
nicht mehr als drei Stunden pro Tag	*no more than three hours a day*
mehr als 20 Stunden pro Woche	*more than 20 hours a week*
nur am Wochenende	*only at the weekend*
nach den Hausaufgaben	*after homework*
von 20 bis 22 Uhr	*from 8.00 to 10.00 pm*

Meinungen • Opinions

das finde ich (un)fair	*I think that's (un)fair*
das geht mir auf die Nerven	*that gets on my nerves*
das ist (un)gesund	*that's (un)healthy*
das ist aktiv	*that's active*
das ist passiv	*that's passive*
das macht (un)fit	*that makes you (un)fit*
das macht Spaß	*that's fun*
das stimmt (nicht)	*that's (not) true*
du hast recht	*you're right*
ich bin (nicht) süchtig	*I'm (not) addicted*
meiner Meinung nach ...	*in my opinion ...*
Unsinn!/Quatsch!	*Nonsense!*

Fragen • Questions

Wann?	*When?*
Wo?	*Where?*
Was?	*What?*
Wer?	*Who?*
Warum?	*Why?*
Wie?	*How?*
Wie viel/viele?	*How much/many?*
Wie oft?	*How often?*

Oft benutzte Wörter • High-frequency words

weil	*because*
letzte Woche	*last week*
am Wochenende	*at the weekend*
das nächste Mal	*next time*
so	*so*
zu	*too*
total	*totally*
gar nicht	*not at all*
immer	*always*
ab und zu	*now and then*
oft	*often*

Strategie 2

Complex sentences

Try to show as much as possible of the German that you know. Simple sentences in correct German are fine, but if you use more complex sentences it sounds more natural – and more impressive!

- Join shorter sentences together using ***und*** (and), ***aber*** (but) or ***oder*** (or).
- Add an opinion – there are phrases on these ***Wörter*** pages that you can use.
- Use ***weil*** (because) to give a reason – but remember the word order with this 'vile' word!
- Add qualifiers such as ***sehr*** (very), ***zu*** (too), ***ziemlich*** (fairly) and ***gar nicht*** (not at all).
- Learn a few phrases that you can use in a variety of situations – time phrases are always useful.

Fremdsprachen sind wichtig!

- Discussing why learning languages is important
- Understanding how useful languages are to people

Mach das Quiz.

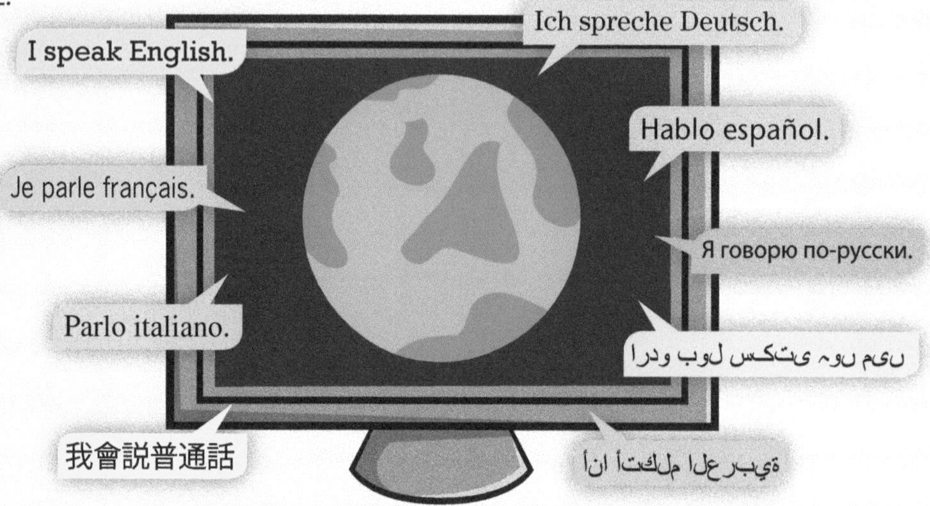

Für alle Medien – Filme, Bücher, Zeitschriften, Websites – ist die Sprache sehr wichtig, aber was weißt du über Sprachen?

1 Wie viele Sprachen gibt es auf der Welt?
a 6–7 **b** 60–70 **c** 600–700 **d** 6.000–7.000

2 Für wie viele Personen auf der Welt ist Englisch die Muttersprache?
a 6% **b** 26% **c** 66% **d** 96%

3 Wie viele Personen auf der Welt können kein Englisch?
a 80% **b** 60% **c** 50% **d** 25%

4 Über 120 Millionen Personen auf der Welt sprechen Deutsch als Muttersprache, aber wo?
Eine Antwort ist falsch – welche?
Man spricht Deutsch in ...
a Deutschland, Österreich, der Schweiz und Liechtenstein.
b Schottland, Wales und Irland.
c Luxemburg, Belgien und Norditalien.
d Afrika, Australien, Nordamerika und Südamerika.

5 Wie viele Bücher auf der Welt sind auf Deutsch?
a 1% **b** 5% **c** 10% **d** 20%

Research any answers you are not sure of.

These statistics were correct at the time of publication.

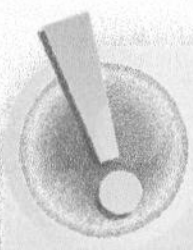

You can add ***Nord***, ***Süd***, ***Ost*** and ***West*** to a country or continent:

Italien ➜ ***Nord****italien* = Northern Italy

Afrika ➜ ***Südwest****afrika* = South West Africa

die Sprache(n) = language(s)
wichtig = important
die Muttersprache = mother tongue, first language

Hör zu und überprüfe.

3 Partnerarbeit. Warum lernst du eine Fremdsprache? Sieh dir die Tabelle an und gib sechs Gründe.

Why are you learning a foreign language? Using the table, give at least six reasons.

Beispiel:

- ***Ich will später in Deutschland arbeiten.***
- ...

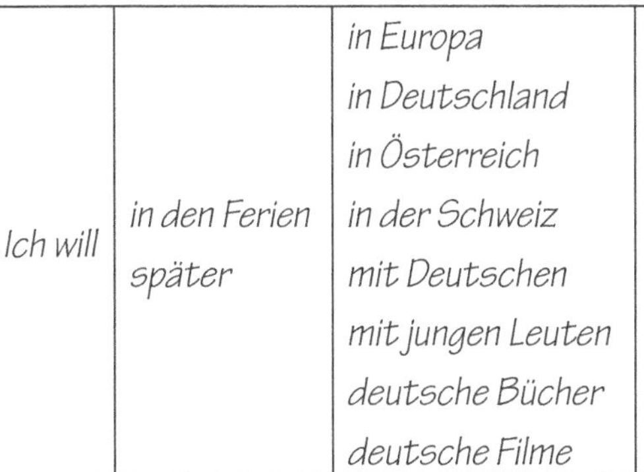

Ich will	*in den Ferien* *später*	*in Europa* *in Deutschland* *in Österreich* *in der Schweiz* *mit Deutschen* *mit jungen Leuten* *deutsche Bücher* *deutsche Filme*	*reisen.* *arbeiten.* *studieren.* *wohnen.* *sprechen.* *lesen.* *sehen.*

später = later

4 Hör zu und lies.

Ich habe Deutsch gelernt, weil ich deutsche Filme mag. Wir sehen oft die englische Version und das finde ich nervig. Ich will die Filme auf Deutsch sehen – jetzt kann ich das!
Benjamin

Man hat meine Kinderbücher in die deutsche, französische und spanische Sprache übersetzt. Ich fahre im Oktober nach Frankfurt und Zürich; ich habe die Hotels auf Deutsch gebucht, ich werde mit Deutschen und Schweizern auf Deutsch sprechen und ich hoffe, sie werden viele Bücher kaufen!
Julia

Ich arbeite im Marketing und Design und wir machen viele Websites für Firmen in Deutschland und Österreich. Das finde ich toll und das deutsche Team findet es auch sehr gut, weil ich Deutsch spreche.
Sarah

Ich bin Kameramann und ich reise sehr oft in Europa, Afrika und Südamerika. In der Schule habe ich Französisch und Spanisch gelernt, und ich lerne jetzt Deutsch, weil das sehr nützlich für meine Arbeit ist. Ich fahre im Mai nach Namibia, weil wir dort einen Film über Elefanten machen.
Richard

übersetzen, hat übersetzt = to translate, translated

5 Partnerarbeit. Partner(in) A übersetzt die Texte von Benjamin und Julia aus Aufgabe 4. Partner(in) B übersetzt die Texte von Sarah und Richard. Vergleiche dann die Gründe, warum Fremdsprachen wichtig sind.

6 Warum sollte man Deutsch lernen? Mach ein Poster auf Deutsch.

Projektzone 2

Stellen im Ausland!

> ➤ *Looking at jobs that require German*
> ➤ *Applying for a job*

Lies die Stellenanzeigen. Welches Bild ist das?

Beispiel: **1** c

STELLENANZEIGEN

1 Spieletester gesucht

Du spielst sehr sehr gern Videospiele!
Du findest Bugs und Softwareprobleme.
Deine Muttersprache ist Englisch.
Du kannst auch gut Deutsch, Französisch oder Spanisch.
Dann kannst du mit uns arbeiten.
Bewerbung an andrea@superspielwelt.com

2 Azubi gesucht:

Mediendesigner Digital und Print
Wir sind eine junge, dynamische Medien- und Marketing-Firma in München.
Wir suchen eine(n) enthusiastische(n) Azubi für den Beruf Mediendesigner.
Wir erwarten …

- gute Noten in Deutsch, Englisch und Kunst
- PC-Kenntnisse, auch mit Photoshop
- Freundlichkeit
- Teamarbeit

Bewerben Sie sich bei Megasoft-Marketing.de

3 Toningenieur gesucht

Wir arbeiten in unserem Berliner Musik-Studio mit Gruppen und Musikern aus aller Welt.
Kommunikation ist sehr wichtig.
Mehr Informationen unter 00 49 30 12 34 56 78

4 Filmkomponist

Ich suche einen Komponisten für meinen kurzen Zeichentrickfilm.
Der Film ist lustig und spielt auf Deutsch, Englisch und Spanisch.
Die Musik sollte auch lustig sein!
Interessiert? Bitte melden Sie sich!
tom-ohne-jerry@z-mobile.de

gesucht = wanted
der Azubi = Auszubildende(r) = apprentice
suchen = to look for, seek
der Ton = sound

Welche Stelle passt für diese Leute?

Beispiel: Erik – Toningenieur

Erik mag Musik sehr und hört gern Bands, aber er spielt kein Instrument. Er findet Technik und Computer total gut.

Liana kann sehr gut Deutsch und Englisch. Sie verbringt mehr als zwanzig Stunden pro Woche online und mit der Xbox.

Georg studiert an der Uni Musik. Er spielt Klavier und Gitarre und er schreibt gern Songs.

Susanna findet Kunst cool und sie hat tolle Bilder am Computer gemacht. Sie ist freundlich und sehr gut in der Schule.

Hör zu und überprüfe.

Partnerarbeit. Finde einen Job für deinen Partner/deine Partnerin.

Beispiel:

- ● *Ich mag (Kunst und Informatik).*
- ■ *Du solltest (Mediendesigner) werden.*

> The verb ***werden*** means 'to become' and is often translated as 'to be'. You have also learned that it is used with another verb to form the future tense: ***ich werde arbeiten*** (I will work).

Hör zu und lies.

Licht ... Kamera ... Action! Hallo! Ich heiße Lotte und ich arbeite mit drei Freunden in einem Videoteam. Wir haben alle eine Rolle, wir sind alle wichtig. Ich bin Kamerafrau und mein Kollege Frank ist Toningenieur: Wir sind für Bild und Ton da.

Karla ist die Regisseurin. Sie sagt: „Mach dies, mach das! Sag dies so, sag das so!“ Und dann haben wir den „Chef“ – Tom: Er organisiert alles – was wir machen, wo wir filmen, wer im Film ist, wie viele Tage wir brauchen, wo wir übernachten ...

Was für Videos machen wir? Wir machen Werbung für große und kleine Firmen, Filme für Schulen und Universitäten ... und wir filmen überall. Letzte Woche waren wir in Spanien, bald fahren wir nach Schottland, dann wieder nach Deutschland.

Es ist gut, dass wir alle Deutsch und Englisch sprechen. Tom kann auch Spanisch und Französisch und Karla spricht Italienisch. Wir können überall arbeiten – das macht viel Spaß!

brauchen = to need
die Werbung = advertising

Lies den Text noch mal. Wie heißt das auf Deutsch? Schreib es auf.

1 we are all important
2 Karla is the director
3 how many days we need
4 we film advertisements
5 it's great fun

Beware of 'false friends'! ***Chef*** has nothing to do with cooking – it means 'boss'.

Du willst einen Job aus Aufgabe 1 machen. Schreib einen Brief.
Beispiel:

your address here

address you're sending to here

Manchester, den 1. April
place and date sent

Betreff: (Spieletester) = Regarding ...

Sehr geehrte Damen und Herren, = Dear Sir or Madam

If you know their name use: *Sehr geehrt**er** Herr (Schmidt)* or *Sehr geehrt**e** Frau (Rosenthal)*

ich möchte mich für die Stelle als (Spieletester) bewerben. = I'd like to apply for the job as a ...

Ich bin (16) Jahre alt und ich (spiele sehr gern Videospiele). Ich kann (sehr gut Englisch) und in der Schule lerne ich auch (Spanisch).

add anything else that is relevant and that you know how to say

Ich freue mich auf eine baldige Antwort. = I look forward to hearing from you soon.

Mit freundlichen Grüßen

Sarah Hollis

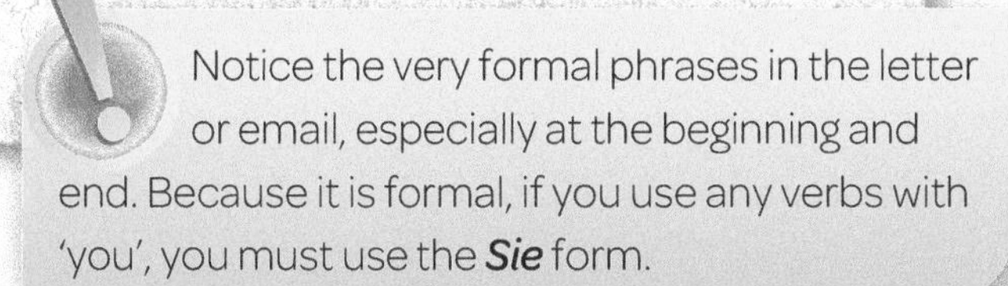

Notice the very formal phrases in the letter or email, especially at the beginning and end. Because it is formal, if you use any verbs with 'you', you must use the ***Sie*** form.

Kapitel 3 Bleib gesund!

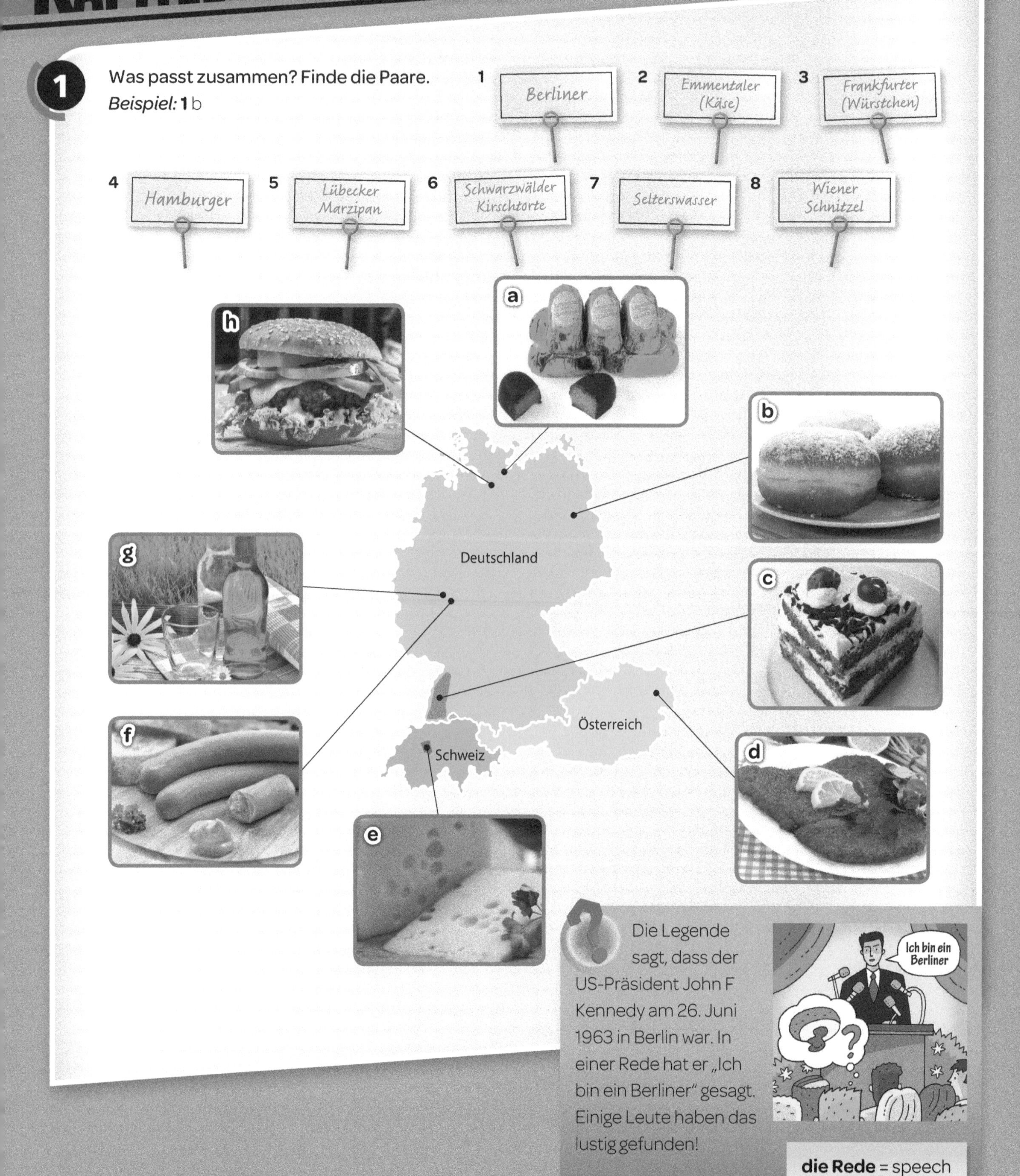

Suppen

Nudelsuppe	€ 3,20
Backerbsensuppe	€ 3,20
Tomatensuppe	€ 3,80
Tiroler Speckknödelsuppe	€ 4,00
Gulaschsuppe mit Brot	€ 4,30
Nudelsuppe mit Würstl und Brot	€ 5,90

Traditionelles

Würstl mit Pommes frites	€ 5,60
Bratwurst mit Pommes frites	€ 6,50
Currywurst mit Pommes frites	€ 6,80
Bratwurst mit Knödel und Sauerkraut	€ 7,20
Tiroler Speckknödel mit Sauerkraut	€ 6,00
Fleischkäse mit Pommes frites	€ 6,30

Kinderportionen

Nudelsuppe mit Würstl	€ 4,40
Würstl mit Pommes frites	€ 4,20
Chicken Nuggets mit Pommes frites	€ 5,30
Wiener Schnitzel mit Pommes frites	€ 6,20

Restaurant Hirschen Honau

Kalte Gerichte

Wurstsalat einfach	CHF 11.50
Wurstsalat garniert	CHF 15.50
Thon-Salat garniert	CHF 16.50

Hausgemachtes Tartar

serviert mit Butter, Zwiebelringen und Toast

- als Vorspeise	CHF 21.80
- als Hauptgericht	CHF 26.50

Unsere Spezialitäten

Schweineschnitzel in Champignonrahmsauce und Nudeln	CHF 25.50
Zwiebelrostbraten mit Röstzwiebeln und Pommes frites	CHF 35.50
Pouletbrust in Currymantel auf weissem Risotto	CHF 26.80

Aus dem Meer

Scampi vom Grill in Knoblauch-Olivenöl, dazu Salat und Weissbrot	CHF 31.80
Loup de Mer in Salzkruste mit Gemüse und Butternudeln (ca. 40 Min)	CHF 43.50

Vegi

Omelette mit frischem Gemüse	CHF 20.50

Sieh dir die Speisekarten an. Wie heißt das auf Deutsch? Schreib es auf.

1 tomato soup
2 with bread
3 chips
4 children's portions
5 simple sausage salad
6 home-made
7 onion rings
8 as a starter

1 **Noodle soup costs ...**
  a three pounds twenty b three euros twenty c three francs twenty
2 **Tyrolean bacon dumplings with pickled cabbage costs ...**
  a €3,20 b €5,60 c €6,00
3 ***Schweineschnitzel* is made of ...**
  a rice b vegetables c pork
4 **The abbreviation *ca.* (= *circa*) means ...**
  a approx. b e.g. c P.S.
5 ***Aus dem Meer* means ...**
  a hot main dishes b from the sea c specialities
6 **The omelette is served with ...**
  a fresh vegetables b noodles c chips

Kulturzone

There are several English words in both menus because the items are often difficult to translate and are quite well known. In the Swiss menu you will see some French words, such as ***mer*** = sea and ***poulet*** = chicken. Remember that German is not the only official language of Switzerland, although it is the most widely spoken. Find out what the other official languages are. And what is the currency used in Switzerland?

1 Zum Frühstück

➤ Talking about typical breakfasts
➤ Using the verb **essen**

Was passt zusammen? Schreib das richtige Wort auf.

Beispiel: **1** Obst

das Frühstück
- Brötchen
- Eier
- Frühstücksflocken
- heiße Schokolade
- Kaffee
- Käse
- Marmelade
- Milch
- Obst
- Orangensaft
- Schinken
- Tee

Hör zu und sieh dir die Bilder in Aufgabe 1 an. Schreib die Tabelle ab und füll sie aus.

Was isst und trinkt Tim ...?

in Deutschland	*in Großbritannien*
11 (Tee)	*3 (Brötchen)*

mit = with
ohne = without

Beware of 'false friends'! ***Marmelade*** is any type of jam. If you want 'marmalade', you need to ask for ***Orangenmarmelade***. And notice the difference in spelling in the German ***Marmelade***.

Grammatik

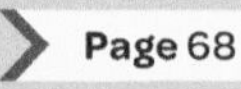

Page 68

The verb ***essen*** (to eat) is irregular in the present tense. The vowel changes from **e** to **i**:

ich esse	*wir essen*
*du **isst***	*ihr esst*
*er/sie/es **isst***	*Sie essen*
	sie essen

The verb ***trinken*** (to drink) is regular in the present tense: ***du trinkst, er/sie trinkt***.

In the perfect tense both ***essen*** and ***trinken*** are irregular:
*Ich habe zwei Eier **gegessen***. I ate two eggs.
*Wir haben Tee **getrunken***. We drank tea.

Partnerarbeit. Mach Dialoge.

- ● ***Was isst du zum Frühstück?***
- ■ *Normalerweise esse ich ...*
- ● ***Und was trinkst du zum Frühstück?***
- ■ *Manchmal trinke ich ...*
- ● ***Was hast du heute/am Wochenende gegessen und getrunken?***
- ■ *Heute/Am Wochenende habe ich ... gegessen und ... getrunken.*

Was isst und trinkt dein(e) Partner(in) zum Frühstück? Ist das gesund oder ungesund? Schreib deine Notizen auf.

What does your partner eat and drink for breakfast? Is it healthy or unhealthy? Write notes.

Zum Frühstück isst Max normalerweise ... und er trinkt oft ...
Am Wochenende hat er ... gegessen und ... getrunken.
Das ist (sehr/ziemlich) gesund/ungesund, finde ich.

Lies den Text und beantworte die Fragen auf Englisch.

Gesund essen zum Frühstück

Man sollte den Tag immer mit einem Frühstück beginnen. Das ist gesund und sehr gut für die Konzentration: Ohne Frühstück kann man sich nur schlecht konzentrieren. Aber was ist ein gutes Frühstück? Mein Tipp für das Frühstück: Müsli mit Milch und eine Tasse Tee oder ein Glas Orangensaft. Magst du das nicht? Dann kannst du vielleicht Toast mit Butter und Marmelade essen und Kaffee oder heiße Schokolade trinken. Vielleicht isst du lieber Brötchen mit Ei oder Schinken? Das ist auch lecker. Aber du solltest *etwas* zum Frühstück essen, dann hast du einen guten Start in den Tag.

Kommentar

Ich finde, ich esse zum Frühstück gesund. Ich trinke keinen Kaffee, aber ich mag Tee und ich esse am liebsten Frühstücksflocken mit Milch, aber ohne Zucker, weil das süß und nicht so gesund ist. – *Alicia, Koblenz*

Super! Du isst ein gutes Frühstück!

Ich esse kein Frühstück, weil ich keine Zeit habe. Um 10:30 Uhr esse ich in der Schule einen Joghurt. – *Karl, Bremen*

Der Joghurt ist gesund, aber du kannst zum Beispiel im Bus ein Brötchen essen. Du solltest auch in der großen Pause etwas essen: Dein Pausenbrot kannst du schon abends machen, dann hast du morgens mehr Zeit.

1 Why is it advisable to eat breakfast?
2 Which two of the following does the text not mention: cheese, jam, fruit, toast, ham, egg?
3 What does Alicia not drink?
4 Why does she not put sugar on her cereal?
5 What does Karl have for breakfast?
6 What does he do that is considered good?
7 What suggestion is made for the journey to school?
8 When does the writer suggest is a good time to make a sandwich?

das Ei(er) = egg
die Zeit = time
morgens = in the morning

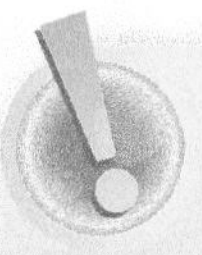

Remember that ***kein*** (with appropriate endings) means 'not any' or 'no'.

*Ich trinke **keinen** Kaffee.*
*Ich habe **keine** Zeit.*
*Ich esse **kein** Frühstück.*
*Ich mag **keine** Eier.*

Kulturzone

In Germany, it is common for people to have ***ein zweites Frühstück*** (a second breakfast, 'elevenses'), especially those who start work quite early. In schools, many pupils have a snack in the long break (***in der großen Pause***) – this is often fruit and a sandwich, referred to as ***das Pausenbrot*** (literally 'break-time bread').

Schreib einen Bericht über dein Frühstück.

- Was isst und trinkst du gern zum Frühstück?
- Was hast du gestern/am Wochenende gegessen/getrunken?
- Was wirst du morgen essen und trinken?
- Ist das gesund?
- Wie findest du (Kaffee ...)?

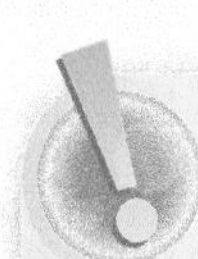

Try to use some of these phrases:
Mmm, lecker!
Igitt! Das ist ungesund!
Ich mag ... (nicht). Ich liebe/hasse ...
Ich esse/trinke gern/lieber/am liebsten ...
Ich werde morgen ... essen/trinken.

2 Was nimmst du?

- Discussing traditional German food
- Using the verb **nehmen**

1 Was passt zusammen? Und wie sagt man das? Rate mal!

Beispiel: **1** Gemüsesuppe mit Brötchen

Speisekarte

- Bratwurst mit Eiern
- Fisch mit Reis und Erbsen
- Flammkuchen mit Sauerkraut
- Gemüsesuppe mit Brötchen
- Hähnchen mit Pommes frites und Karotten
- Käsespätzle mit Salat
- Schnitzel mit Kartoffeln
- Steak mit Rösti

Use **key sounds** you know to help you with pronunciation.

2 Hör zu und überprüfe.

3 Hör zu und wähl die richtige Antwort aus.

1 Flammkuchen ist ein bisschen wie Pizza mit …
  a Sahne, Speck und Zwiebeln
  b Eiern, Kartoffeln und Käse

2 Käsespätzle sind …
  a Kartoffeln mit Fleisch und Champignons
  b Nudeln mit Käse und Zwiebeln

3 Schnitzel ist …
  a Fleisch mit Brotkrumen
  b Fisch mit Bratwurst

4 Rösti sind Kartoffeln mit …
  a Salz, Pfeffer und Zwiebeln
  b Brötchen, Salz und Pfeffer

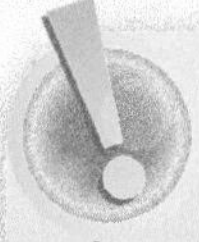

After the preposition ***mit*** (with) you need to add **–n** to most plural nouns (unless they already end in **–n**).

Eier (eggs) ➜ ***mit Eiern*** (with eggs)

Kartoffeln (potatoes) ➜ ***mit Kartoffeln*** (with potatoes)

The main exceptions are foreign words that have plurals in **–s** or **–i**: ***mit Champignons*** (with mushrooms), ***mit Rösti*** (with rösti/hash browns).

4 Was passt zusammen? Finde die Paare.

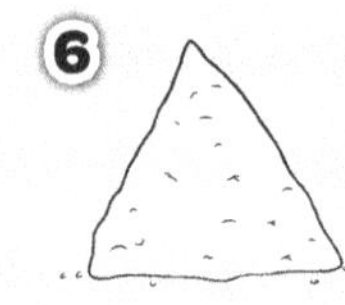

lecker · ekelhaft · süß · sauer · salzig · scharf · vegetarisch

Hör zu. Wie schmeckt das? Schreib die Adjektive auf. (1–4)
Listen. What is it like? Write the adjectives.
***Beispiel:* 1** (Flammkuchen) ziemlich salzig, lecker, (Sauerkraut) ...

Listen for qualifiers like ***gar nicht***, ***sehr***, ***ziemlich*** and ***zu*** because they can alter the meaning of the adjective.

Hör zu und lies.

Laura: Also, was nehmen wir? Es gibt Schnitzel, Currywurst, Fisch oder Käsespätzle.
Adam: Currywurst ist zu scharf, finde ich, und ich esse nicht gern Fisch. Igitt!
Laura: Ich habe letzte Woche den Fisch gegessen und er war lecker, aber ich nehme heute die Currywurst mit Erbsen und Kartoffeln. Was nimmst du?
Adam: Die Käsespätzle sind vegetarisch, aber ich will heute Fleisch essen, also nehme ich das Schnitzel.
Laura: Mit Pommes frites oder Kartoffeln?
Adam: Ich esse lieber Pommes frites – sie sind lecker! Und ich nehme auch Karotten.

Grammatik

Page 68

The verb ***nehmen*** means 'to take' or 'to have' when you are choosing something in a shop or on a menu. It is irregular in the present tense and, like ***essen***, the vowel changes from **e** to **i**:

ich nehme	*wir nehmen*
*du **nimmst***	*ihr nehmt*
*er/sie/es **nimmt***	*Sie nehmen*
	sie nehmen

After ***nehmen*** (the same as after ***haben***), **masculine nouns** change *der* ➜ ***den*** and *ein* ➜ *ein**en***.

*Ich nehme **den** Fisch.* I'll have the fish.

The perfect tense of ***nehmen*** is also irregular.

*Ich habe die Bratwurst **genommen**.* I had the fried sausage.

Richtig oder falsch?

1 Adam nimmt keine Currywurst.
2 Laura nimmt die Käsespätzle.
3 Laura isst nicht gern Fisch.
4 Adam hat die Käsespätzle nicht genommen.
5 Adam nimmt Schnitzel mit Pommes frites und Karotten.
6 Adam und Laura nehmen einen Salat.

Partnerarbeit. Sieh dir die Speisekarte in Aufgabe 1 an. Mach Dialoge.
Beispiel:

- *Was nimmst du?*
- *Ich nehme (die Gemüsesuppe).*
- *Was ist das?*
- *Das ist mit (Karotten, Zwiebeln und Champignons).*
- *Ist das (salzig)?*
- *Nein/Ja, ...*

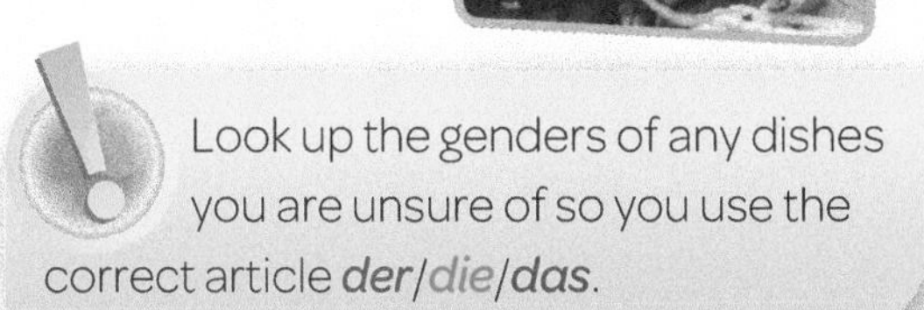
Look up the genders of any dishes you are unsure of so you use the correct article ***der/die/das***.

Du hast im Restaurant gegessen. Was hast du gegessen? Was ist das? Wie war das?
Beispiel:

Ich habe am Wochenende im Restaurant gegessen. Ich habe den Flammkuchen gegessen. Das ist mit Speck. Er war zu salzig. Mein Bruder hat die Bratwurst mit Eiern gegessen und er hat das ekelhaft gefunden.

3 Kannst du kochen?

- Understanding and using recipes
- The **du** form of the imperative

Was passt zusammen? Finde die Paare.
Beispiel: **1** c

Rührei (für 2 Personen) 

1. Nimm vier Eier.
2. Nimm 125 Milliliter Milch.
3. Misch die Eier und die Milch.
4. Nimm eine Zwiebel.
5. Schneide die Zwiebel.
6. Stell eine Pfanne auf den Herd.
7. Erhitze die Zwiebel.
8. Rühre alles.
9. Serviere sofort.

a 
b 
c 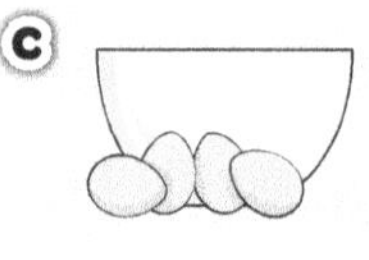
d 
e 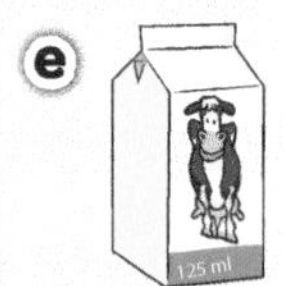
f 
g 
h 
i 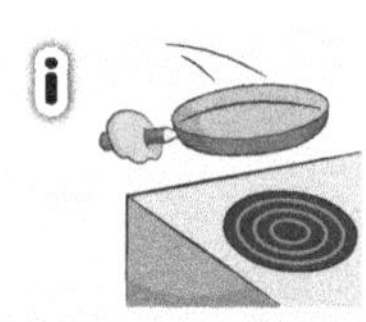

eine Pfanne = a frying pan
auf den Herd = onto the cooker
alles = everything
sofort = immediately

Hör zu und überprüfe.

Grammatik

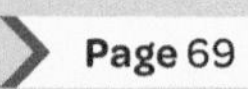
Page 69

To give instructions, use the imperative of verbs. Take the *du* form of the present tense and remove the **–st** ending:

stellen (to put) ➜ *du stellst* ➜ ***stell!*** (put)
nehmen (to take) ➜ *du nimmst* ➜ ***nimm!*** (take)

You sometimes have to add **–e** to make it easier to say:

rühre! (stir), *serviere!* (serve)

The imperative is often followed by an exclamation mark.

3 LESEN

Lies das Rezept und sag, wie man das macht. Dann schreib das Rezept auf Englisch auf.
Beispiel: **Nimm** 300 Gramm Brot ... Take ...

Brotpudding (für 2 Personen)

1 ...... 300 Gramm Brot, 150 Gramm Obst, 50 Gramm Butter, 3 Eier, 200 Milliliter Milch und 75 Gramm Zucker. (***nehmen***)
2 ...... die Butter auf das Brot. (***streichen***)
3 ...... das Brot in Stücke. (***schneiden***)
4 ...... Brot und Obst in einer Backform. (***mischen***)
5 ...... die Eier, Milch und Zucker mit einem Mixer. (***mischen***)
6 ...... die Mischung mit dem Brot zusammen. (***rühren***)
7 ...... den Brotpudding eine Stunde bei 175° C. (***backen***)
8 ...... mit Sahne oder Soße. (***servieren***)

Guten Appetit!

streichen = to spread
die Backform = baking dish

50ml = fünfzig Milliliter
1l = ein Liter
100g = hundert Gramm
1kg = ein Kilo
Stk = das Stück(–e) = *piece*
175° C = 175 Grad Celsius

Hör zu und überprüfe.

Grammatik

Page 69

You have learned that after ***in*** (in) and ***auf*** (on) the words for 'the' change:

der/das ➔ ***dem*** and *die* ➔ ***der***.

Sometimes ***in*** means 'into' and ***auf*** means 'onto', showing movement from one place to another. In this case, *der* ➔ ***den***, but *die* and *das* stay the same.

(no movement) ***in der*** *Pfanne* = **in the** frying pan
(movement) ***in die*** *Pfanne* = **into the** frying pan

(no movement) ***auf dem*** *Herd* = on the hob
(movement) ***auf den*** *Herd* = **onto the** hob

the	in the on the	into the onto the
der (m)	in dem (im) auf dem	in den auf den
die (f)	in der auf der	in die auf die
das (nt)	in dem (im) auf dem	in das (ins) auf das

Look for examples of both meanings in the recipes on page 58.

Can you work out the rule for changes to ***ein*** and ***eine***?

5 Hör dir die Radiosendung an und mach Notizen auf Deutsch. Was macht Arnold und was nimmt man?
Beispiel: Er macht ... Man nimmt: 2 Scheiben Brot, ...

eine Scheibe (Brot) = a slice (of bread)
legen = to lay, place, put

6 Hör noch mal zu. Wie macht man das? Schreib es auf Englisch auf.
Beispiel: Spread butter on the slices of bread, ...

7 Was ist in deinem Lieblingssandwich? Finde die Paare.
Beispiel: **1** e

1 die Mayo	**4** die Olive(–n)
2 der Ketchup	**5** der Senf
3 der Thunfisch	**6** die Gurke(–n)

a b c d e f

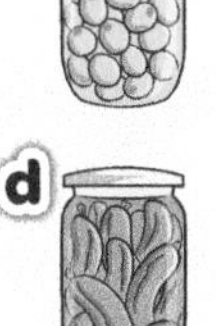

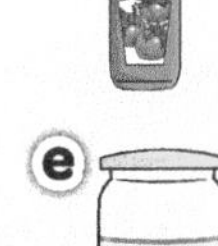

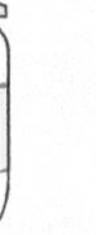

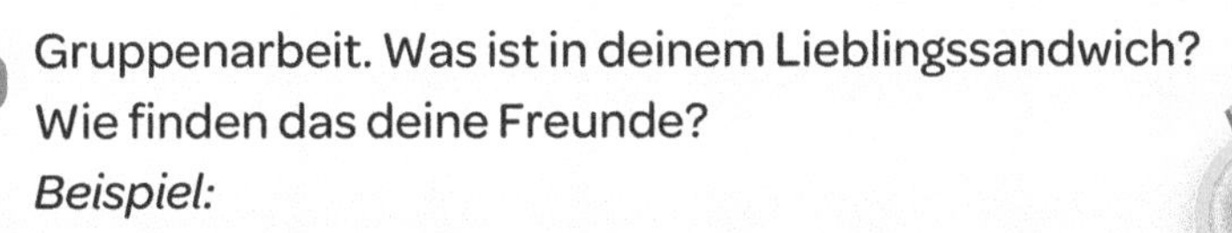

8 Gruppenarbeit. Was ist in deinem Lieblingssandwich? Wie finden das deine Freunde?
Beispiel:

- *Mein Lieblingssandwich hat Marmelade und Wurst.*
- *Igitt! Das ist furchtbar!*
- *Ja, das stimmt. Das ist ekelhaft.*
- *Ach was! Marmelade und Wurst sind lecker! Was ist in deinem Lieblingssandwich?*

Try to use vocabulary you know, but if your favourite sandwich fillings aren't listed here, use a dictionary to find them. Remember to check you have the right meanings (see page 39). Note the gender as this is important when you use ***in*** or ***auf***.

9 Schreib eine E-Mail an Arnold aus Aufgabe 5. Wie macht man dein Lieblingssandwich?
Beispiel:

> Hallo Arnold!
> Mein Lieblingssandwich ist lecker, aber komisch, weil ich gern Marmelade und Wurst esse! Nimm 10 Scheiben Wurst, 50g Marmelade, 20g Mayo und 12 Oliven …

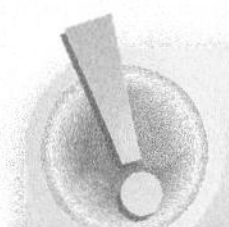

Try to think of weird and wonderful sandwich fillings!

10 Partnerarbeit. Partner(in) A liest die E-Mail aus Aufgabe 9 vor. Partner(in) B schreibt alles auf.

4 Im Training

- Talking about healthy lifestyles
- Using the verb **müssen**

Hör zu und lies. Was passt zusammen? (1–7)
Beispiel: **1** e

Man muss ...
1. acht Stunden schlafen.
2. wenig Fett und Zucker essen.
3. viel Obst und Gemüse essen.
4. mehr Wasser trinken.
5. früh ins Bett gehen.
6. drei Stunden trainieren.
7. zweimal pro Woche joggen.

a 

b 

c 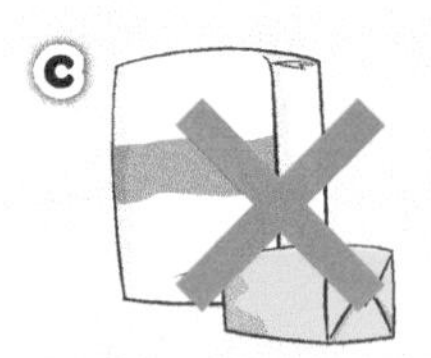

d 

e 

f 

g 

Remember that the pronoun *man* refers to people in general and is usually translated as 'you' or 'one':
Man muss mehr Wasser trinken.
You have to drink more water.

Hör zu. Welches Bild ist das? (1–5)
Beispiel: **1** Jana – e

1 Jana **2** Elias **3** Martin **4** Fabian **5** Vanessa

a 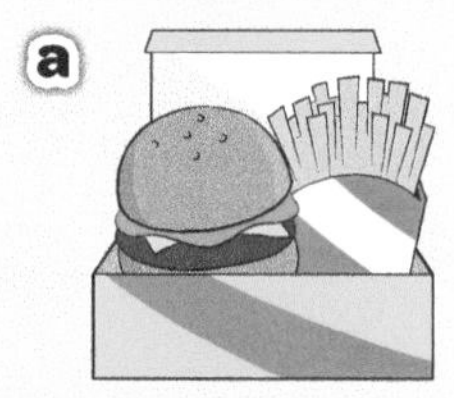

b 

c 

d 

e 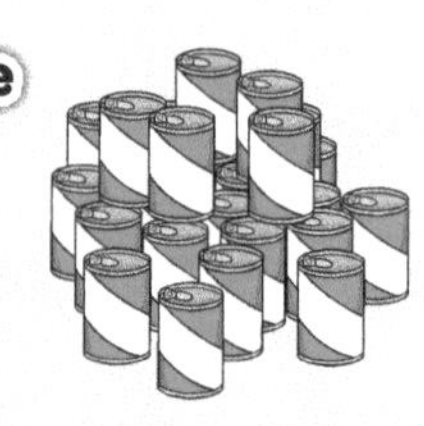

Sieh dir Aufgabe 1 an und schreib Sätze mit „er" oder „sie" auf.
Beispiel: **1** Sie (Jana) muss mehr Wasser trinken.

Partnerarbeit. Partner(in) A sagt, was er/sie macht. Partner(in) B gibt Rat.
Pair work. Partner A says what he/she does. Partner B gives advice.
Beispiel:

- *Ich (esse gern Fastfood).*
- *Ach nein! Du musst (viel Obst und Gemüse essen).*

Grammatik

Page 69

müssen (must, to have to) is a modal verb like ***können*** and ***dürfen***. Use it with the infinitive of another verb, which goes at the end of the sentence:

Du ***musst*** *jeden Tag* ***trainieren***. You have to train every day.

ich ***muss***	*wir müssen*
du ***musst***	*ihr müsst*
er/sie/es ***muss***	*Sie müssen*
	sie müssen

Übersetze die Sätze ins Englische.

1 Sie muss oft joggen.
2 Wir müssen viel Wasser trinken.
3 Herr Walker, Sie müssen weniger Zucker essen.
4 Raul und Lena, ihr müsst zweimal pro Woche trainieren.
5 Sie müssen mehr Obst und Gemüse essen.
6 Du musst früh ins Bett gehen – 23 Uhr 30 ist zu spät!

weniger = less
spät = late

Partnerarbeit. Sieh dir die Profile a–d an. Partner(in) A wählt ein Profil aus. Partner(in) B stellt Fragen. Dann tauscht die Rollen.

Pair work. Look at the profiles. Partner A chooses a profile. Partner B asks questions. Then swap roles.

Beispiel:

- *(Wählt Profil a aus.)*
- *Was musst du jeden Tag essen?*
- *Ich muss viel Obst und Gemüse essen, zum Beispiel Orangen.*

Fragen

- Was musst du jeden Tag essen?
- Und was trinkst du normalerweise?
- Wann gehst du ins Bett?
- Wie viele Stunden musst du schlafen?
- Wie oft musst du trainieren?

Name: Tom Daley
Diät: viel Obst und Gemüse, z.B. Karotten und Orangen, Wasser
Schlafroutine: um 21 Uhr ins Bett, 8 Stunden
Training: jeden Tag 3 Stunden schwimmen, 1 Stunde trainieren

b

Name: Louis Smith
Diät: viel Eiweiß, wenig Zucker, viel Obst und Gemüse, Nudeln, Milch
Schlafroutine: um 23 Uhr ins Bett, 7 Stunden
Training: 6 Stunden trainieren, 1 Stunde joggen

Name: Judith Arndt
Diät: viel Salat, Wasser, Bananen
Schlafroutine: um 22 Uhr ins Bett, 8 Stunden
Training: 5 Stunden pro Tag Radfahren, 2 Stunden trainieren

Name: Ellie Simmonds
Diät: viele Kohlenhydrate, z.B. Nudeln und Brot, und viel Salat, Orangensaft
Schlafroutine: früh ins Bett, 22 Uhr, 8 Stunden
Training: jeden Tag 5 Stunden schwimmen, am Wochenende 2 Stunden trainieren

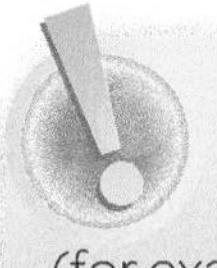

z.B. stands for *zum Beispiel* (for example) and is equivalent to 'e.g.'

Eiweiß = protein
Kohlenhydrate = carbohydrates
Nudeln = pasta

Don't forget, *um 22 Uhr* relates to the time. *Stunden* refers to the number of hours.

Mach das Buch zu. Wiederhole Aufgabe 6.

Close the book. Repeat exercise 6.

Du bist ein olympischer Sportler/eine olympische Sportlerin. Was musst du machen? Beantworte die Fragen aus Aufgabe 6.

Kulturzone

Judith Arndt kommt aus Deutschland. Ihr Sport ist Radfahren. Sie hat 2012 in London eine Silbermedaille gewonnen. Sie war früher auch Weltmeisterin.

Listening Skills

5 Iss dich fit!

- Understanding and responding to longer texts
- Developing note-taking skills

1 Hör zu. Vervollständige die Liste.
Beispiel: (1kg) Zucker, ...

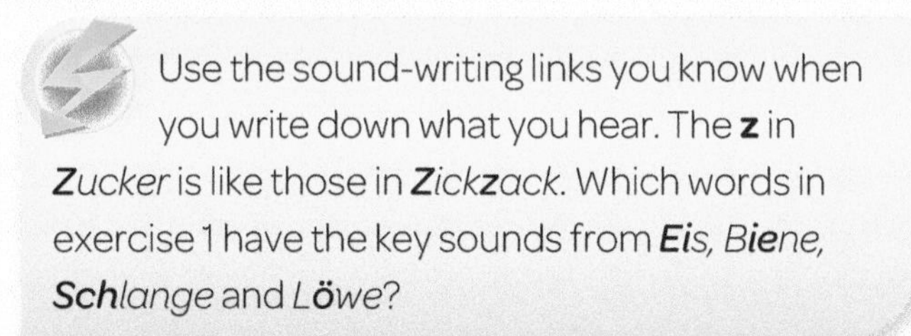

Use the sound-writing links you know when you write down what you hear. The **z** in *Zucker* is like those in *Zickzack*. Which words in exercise 1 have the key sounds from ***Ei**s, Bi**e**ne, **Sch**lange* and *L**ö**we*?

2 Gruppenarbeit. Drei Personen schreiben eine Einkaufsliste mit sechs Sachen. Tauscht die Listen. Lies eine Liste vor. Schreib auf Deutsch auf, was die Person sagt.
Group work. Three people write a shopping list with six items. Exchange lists. Read a list out loud. Write down in German what the person says.

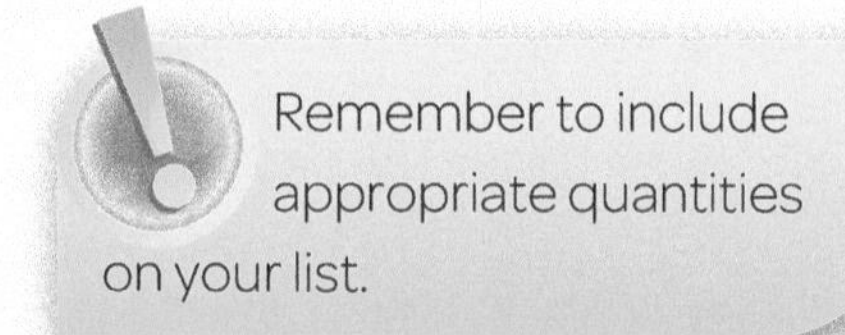

Remember to include appropriate quantities on your list.

3 Hör zu. Was ist das? Schreib das Wort auf Deutsch (und auf Englisch, wenn es anders ist) auf. (1–5)
***Beispiel:* 1** Butter

Some new words you hear might be cognates. Write down how you think the word is written in German. Does it remind you of an English word?

4 Hör zu. Verbinde die Gerichte mit dem richtigen Bild.
***Beispiel:* 1** Himmel auf Erden – c

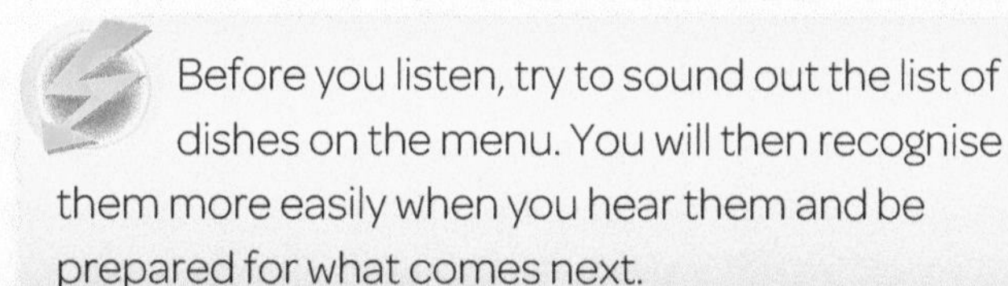

Before you listen, try to sound out the list of dishes on the menu. You will then recognise them more easily when you hear them and be prepared for what comes next.

1. Himmel auf Erden
2. Mediterraner Traum
3. Grüner Italiener
4. Werners „Warm und Herzhaft"
5. Nordseewunder

5 Hör noch mal zu. Notiere mindestens zwei Details für jedes Gericht auf Englisch.
Listen again. Note down in English at least two details for each dish.

Before you listen, write down the name of each of the five menu items from exercise 4, leaving a space of two or three lines below each one. Listen carefully for the dish name and the details that follow. This will help to keep you on track as you listen.

6 Hör dir die Werbespots dreimal an. Schreib die Tabelle ab und füll sie auf Englisch aus. (1–3)
Listen to the adverts three times. Copy and complete the table in English.

	Problem to be solved	*Name of product*	*Ingredients (x3)*	*Extra detail*
1				
2				
3				

It is important to practise taking notes as you listen, as you only remember what you hear for a short time. Each time you listen, you will understand more detail.

Du hast Hunger. = You are hungry.

7 Partnerarbeit. Mach einen Werbespot für ein Getränk, ein Frühstück oder ein Sandwich für Sportler.
Pair work. Create an advert for a drink, breakfast or sandwich for athletes.

Include:
- a German name for your product
- a reference to a problem the product will solve
- a sentence of advice with *müssen*
- at least four ingredients
- at least two adjectives.

8 Partnerarbeit. Präsentiere deinen Werbespot.

To give a confident spoken presentation you need to pay attention to your pronunciation and vary your tone of voice. If you know your material well, you will be able to look up from your notes and speak clearly. Rather than reading from a script, make brief notes to prompt you, and practise several times.

9 Gruppenarbeit. Hör dir den Werbespot von einem Paar an. Schreib die Tabelle aus Aufgabe 6 ab und füll sie aus.
Group work. Listen to the advert from one pair. Copy the table from exercise 6 and fill it in.

Extension

6 Das perfekte Abendessen

➤ Describing and comparing dinner parties
➤ Using language creatively in a new context

1 HÖREN

Hör zu und lies.

Stefan

Linda

Karsten

Monika

1

Das Haus ist schön.

Das Dekor ist zu altmodisch.

Das Sofa ist sehr bequem.

2

Mein Glas ist schmutzig!

Die Vorspeise ist zu salzig.

Die Vorspeise ist Spinatsuppe mit Käse.

Die Suppe ist lecker.

3

Das Kartoffelpüree ist zu scharf.

Es gibt kein Wasser – nur Cola!

Ich finde den Fisch ekelhaft.

4

5

Die Stimmung ist toll!

Die Musik ist so laut!

Die Gastgeberin ist so unhöflich.

Die Unterhaltung ist cool!

Kulturzone

„Das perfekte Dinner" is the German version of 'Come Dine with Me'.

Vorspeise

Spinatsuppe mit Käse

Hauptspeise

Thunfisch-Torte mit Tomatensoße

Kartoffelpüree

Nachspeise

Joghurtbombe

bequem = comfortable
altmodisch = old fashioned
schmutzig = dirty
steinhart = rock-hard
die Stimmung = atmosphere
die Unterhaltung = entertainment
die Gastgeberin = hostess

2 LESEN

Sieh dir Aufgabe 1 an. Vervollständige die Sätze.

Beispiel: **1** comfortable

1. The sofa is very ______.
2. The décor is ______.
3. The ______ is too salty.
4. The fish is ______.
5. The ______ is rock hard.
6. The ______ is great.
7. The ______ is cool.
8. The hostess is so ______.

Hör zu und lies.

Also, ich muss sagen, ich bin ganz glücklich. Mein Abend war toll! Letzte Woche bei Karsten war es katastrophal. Sein Haus ist kleiner als mein Haus und sein Dekor ist auch altmodischer. Ich habe nicht viel gegessen, weil das Fleisch steinhart war. Ich habe auch nichts getrunken – der Wein war zu warm! Karsten war aber ein guter Gastgeber. Er war sehr höflich und seine Musik war moderner als meine. Aber mein Essen war besser! Ich glaube, ich habe gewonnen!

nichts = nothing

Lies die englische Zusammenfassung. Schreib die fehlenden Wörter auf.

Read the English summary. Write down the missing words.

Beispiel: **1** great

Monika thought her evening was (1) ______ and much (2) ______ than Karsten's party. She did not (3) ______ much at Karsten's because the (4) ______ was (5) ______. The (6) ______ was too warm so she did not (7) ______ either. Karsten was a good (8) ______ and his music was more (9) ______. She believes that her (10) ______ was better and that she has (11) ______.

Grammatik

To make the comparative form of an adjective, add **–er** to the adjective. In one-syllable words, an umlaut is often added too:

*Monikas Sofa ist **kleiner als** Karstens Sofa.*

Monika's sofa is **smaller than** Karsten's sofa.

*Kartstens Suppe war **wärmer als** Monikas Suppe.*

Kartsten's soup was **warmer than** Monika's soup.

Note the irregular form: *gut* (good) ➜ ***besser*** (better).

*klein ➜ klein**er***	*small ➜ smaller*
*laut ➜ laut**er***	*loud ➜ louder*
*modern ➜ modern**er***	*modern ➜ more modern*
*bequem ➜ bequem**er***	*comfortable ➜ more comfortable*
*alt ➜ **ä**lt**er***	*old ➜ older*
*groß ➜ gr**ö**ß**er***	*big ➜ bigger*
*kalt ➜ k**ä**lt**er***	*cold ➜ colder*
*warm ➜ w**ä**rm**er***	*warm ➜ warmer*
*gut ➜ **besser***	*good ➜ better*

Sieh dir Aufgabe 3 noch mal an. Was sagt Monika? Schreib Komparativsätze auf.

Beispiel: **1** Mein Haus ist größer als sein (Karstens) Haus.

1 Mein Haus ...
2 Mein Dekor ...
3 Mein Wein ...
4 Meine Musik ...
5 Mein Abend ...

kalt | alt | gut | modern | groß

Remember that ***sein*** (his) and ***ihr*** (her) change their ending according to the gender of the noun they describe, just like ***mein*** and ***dein***.

der Wein ➜ **sein** Wein, **ihr** Wein

die Musik ➜ **seine** Musik, **ihre** Musik

das Dekor ➜ **sein** Dekor, **ihr** Dekor

Hör zu und sieh dir Aufgabe 1 noch mal an. Ist das Stefan, Karsten oder Linda? (1–3)

Hör noch mal zu. Wie viele Punkte hat Monika bekommen? Wer hat gewonnen?

Listen again. How many points has Monika got? Who won?

Lernzieltest

I can…

1

● name some typical German and British breakfast foods	Frühstücksflocken, Käse, Schinken
● say what I and others usually eat and drink for breakfast using the verbs ***essen*** and ***trinken***	Normalerweise **esse** ich Toast. Max **isst** Eier und **trinkt** Tee.
■ use the verbs ***essen*** and ***trinken*** in the perfect tense	Gestern **habe** ich Frühstücksflocken **gegessen** und heiße Schokolade **getrunken**.
■ use ***kein*** to say what I and others don't eat or drink	Ich esse **kein** Obst. Alicia trinkt **keinen** Kaffee.

2

● say what some typical meals from German-speaking countries are	Schnitzel ist Fleisch mit Brotkrumen. Rösti sind Kartoffeln mit Salz, Pfeffer und Zwiebeln.
● talk about what different dishes are like	Ist es salzig? Nein, es ist sehr süß.
pronounce new words confidently using familiar sound-writing patterns	R**ei**s wie **Ei**s. Flammku**ch**en wie Bu**ch**.
■ use ***mit*** with plural nouns, adding ***–n***	Eier ➜ **mit** Eier**n**
■ use the verb ***nehmen*** correctly with nouns to mean 'take' or 'have'	Ich nehme **den** Fisch. Er nimmt **den** Flammkuchen.

3

● understand instructions in a recipe	**Nimm** vier Eier. **Schneide** das Brot.
● talk about favourite sandwich fillings	Was ist in deinem Lieblingssandwich? Erdnussbutter und Gurken. Igitt!
● use quantities	fünfzig Milliliter Milch, hundert Gramm Käse
■ give instructions to others, using the ***du*** imperative form	**Nimm** ein Brötchen! **Streiche** die Butter auf das Brot!
■ use ***in*** and ***auf*** to mean 'into' and 'onto' correctly with nouns	in **die** Pfanne auf **den** Herd

4

● say what people must do to stay healthy	Man muss früh ins Bett gehen.
● talk about what I and others have to do to stay healthy	Was musst du essen? Ich muss viel Obst und Gemüse essen.
■ use the different parts of the verb ***müssen*** in speaking and writing	**Du musst** mehr Wasser trinken. **Man muss** acht Stunden schlafen.

5

transcribe words I hear using sound-writing links	
use prediction to understand more information the first time I listen	
improve my note-taking by preparing how to record the information I hear	
give a short spoken presentation	

6

● talk about a dinner party in the present and past	Die Stimmung ist toll, aber die Vorspeise war kalt!
■ compare two details using the comparative form of adjectives	Mein Haus ist größer als sein Haus! Deine Musik war lauter als meine Musik!

Wiederholung

Hör dir die Interviews mit Sportlern an. Schreib die Tabelle ab und füll sie aus. (1–4)

	Normalerweise	Letzte Woche	Warum?	Extra
1 Essen	Obst, Fisch	Kuchen, Schokolade	Geburtstag	trinkt viel Wasser findet Orangensaft lecker

Partnerarbeit. Sieh dir die Bilder an und mach Dialoge. Dann tauscht die Rollen.

Beispiel: **1**

- *Ich esse sehr gern (Fastfood).*
- *Du musst (viel Obst und Gemüse essen).*

Extend the conversation by responding to the advice. You could show that you have already started to improve your fitness by saying what you did yesterday: ***Ich habe gestern viel Wasser getrunken.*** Or you could say what your good intentions are for tomorrow: ***Morgen werde ich joggen gehen.***

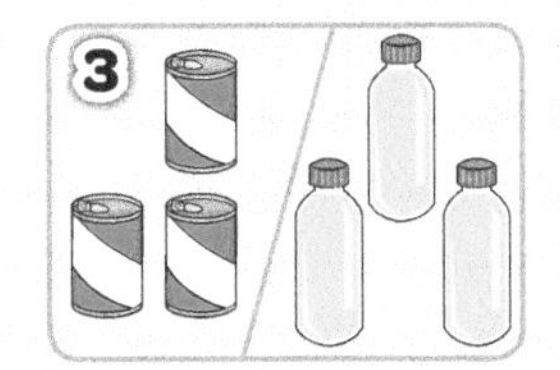

Das ist eine Lüge! Lies Albies Tagebuch und beantworte die Fragen auf Deutsch.

That's a lie! Read Albie's diary and answer the questions in German.

Ich esse gesund und ich bin sehr fit!

Ich liebe Frühstück! Heute habe ich mein normales Frühstück gegessen: vier Brötchen mit Schinken, Käse, Butter und Marmelade. Heute Morgen habe ich auch noch einen Joghurt gegessen und drei Tassen Kaffee getrunken. Dann bin ich in die Stadt gegangen. Dort habe ich einen Film gesehen. Im Kino habe ich ein Schokoladeneis gegessen und eine Cola getrunken. Nach dem Film bin ich in eine Imbissstube gegangen, wo ich eine Currywurst mit Pommes gegessen habe. Danach war ich ziemlich müde. Ich habe also zwei Stunden geschlafen und zwei Stunden an der Wii gespielt. Am Abend habe ich ferngesehen. Ich bin nicht joggen gegangen, weil ich keine Zeit hatte! Vielleicht morgen ...!?!

1 Was isst Albie normalerweise zum Frühstück?
2 Was hat er heute zum Frühstück getrunken?
3 Was hat er in der Stadt gemacht?
4 Was hat er in der Imbissstube gekauft?
5 Was hat er am Abend gemacht?
6 Warum ist er nicht joggen gegangen?

heute Morgen = this morning
danach = afterwards
müde = tired

4 SCHREIBEN

Schreib an Albie. Sag ihm, wie er gesünder essen und fit bleiben kann.

Write to Albie. Advise him how to eat more healthily and keep fit.

Beispiel:

Lieber Albie!
Du sagst, du bist fit, aber das ist eine Lüge! Du isst ... Du musst ...

Include evidence of Albie's bad lifestyle by referring to the details in his diary: ***Du hast heute zu viel Fett und ... gegessen.***

Grammatik

Present tense – irregular verbs (e → i)

essen (to eat) and ***geben*** (to give) are irregular verbs in which **e** changes to **i** in the ***du*** and ***er/sie/es*** forms:

*Ich **esse** oft Fisch, aber Thomas **isst** immer Fleisch. Was **isst** du?*

I often eat fish but Thomas always eats meat. What do you eat?

*Ich **gebe** Hannah mein Butterbrot und sie **gibt** mir ihre Schokolade.*

I give Hannah my sandwich and she gives me her chocolate.

With the verb ***nehmen*** (to take) the **e** changes to **i** and the spelling also changes in the ***du*** and ***er/sie/es*** forms:

ich nehme	I take
*du **nimmst***	you take
*er/es/es **nimmt***	he/she/it takes

1 **Rewrite these sentences, changing the pronoun to that given in brackets. Translate your sentences into English.**
Example: **1** Er isst gern Fleisch. *He likes eating fish.*

1 Wir essen gern Fleisch. (er)
2 Du gibst mir Cornflakes zum Frühstück. (sie)
3 Herr Flieger, nehmen Sie oft den Bus? (Felix, du)
4 Sie geben mir mehr Hausaufgaben. (er)
5 Frau Braun, nehmen Sie das Schnitzel? (Ilsa, du)
6 Esst ihr viele Süßigkeiten? (du)

The perfect tense with *essen*, *nehmen*, *geben* and *trinken*

Verbs that are irregular in the present tense often have irregular past participles:

essen → *Ich habe ... **gegessen**.* (I ate ...)
nehmen → *Ich habe ... **genommen**.* (I took ...)
geben → *Ich habe ... **gegeben**.* (I gave ...)

Other verbs, like ***trinken***, are regular in the present tense but irregular in the past:

trinken → *Ich habe ... **getrunken**.* (I drank ...)

2 **Write out each sentence using the correct form of the perfect tense.**

1 Ich ______ Eier ______ und Tee ______.
2 Simon und Isabella ______ den Bus ______.
3 Daniel ______ mir die Chips von seinem Lunchpaket ______.
4 Ich ______ die Käsespätzle ______ aber er ______ das Schnitzel ______.
5 Wir ______ alle heiße Schokolade ______.

3 **Rewrite this text, using the correct form and tense of the verb given. Translate the text into English.**

Jens ist total unfit! Jeden Tag (1) [essen] ______ er zu viel Fett und Zucker. Gestern (2) [essen] ______ er Eis ______ und er (3) [trinken] ______ Cola ______. Wir (4) [gehen] ______ in die Stadt ______. Normalerweise (5) [gehen] ______ ich zu Fuß, aber er (6) [nehmen] ______ immer den Bus, also (7) [nehmen] ______ wir den Bus ______. Ich denke, seine Eltern (8) [geben] ______ Jens zu viel Geld. Letzte Woche (9) [geben] ______ sein Vater ihm zwanzig Euro ______ und er (10) [kaufen] ______ eine Tonne Schokolade ______!

> Remember that ***gehen*** forms the perfect tense with ***sein***, not ***haben***.

Prepositions – *in* and *auf*

After ***in*** (in) and ***auf*** (on) the words for 'the' and 'a' change.

the	*in the* *on the*	*into the* *onto the*
der (m)	*in dem (im)* *auf dem*	*in den* *auf den*
die (f)	*in der* *auf der*	*in die* *auf die*
das (nt)	*in dem (im)* *auf dem*	*in das (ins)* *auf das*

4 Copy out each sentence using the correct definite article.
The gender of the noun is given in brackets.

1 Ich gehe in ______ Garten. (m)
2 Wir fahren in ______ Stadt. (f)
3 Das Buch ist auf ______ Stuhl. (m)
4 Ich stelle ein Glas auf ______ Tisch. (m)
5 Mein Freund ist in ______ Restaurant. (nt)
6 Wir gehen in ______ Kino. (nt)

The imperative

Use the imperative of verbs to give instructions or commands. The imperative is formed by taking the ***du*** form of the present tense and removing the **–st** ending:

trinken ➔ ***du trinkst*** ➔ ***trink!*** (drink)

Don't forget the vowel changes in the irregular verbs:

nehmen ➔ *du* ***nimmst*** ➔ ***nimm!*** (take)   *essen* ➔ *du* ***isst*** ➔ ***iss!*** (eat)

Note that ***iss!*** only loses the **–t** and that imperatives are often followed by an exclamation mark.

Some verbs add an **–e** to make the imperative form easier to say: *schneide!* (cut), *streiche!* (spread)

5 Write out the recipe for a ham sandwich as you would tell a friend to make it.
Example: **1** Nimm zwei Scheiben Brot.

1 zwei Scheiben Brot nehmen
2 die Butter auf das Brot streichen
3 den Schinken auf eine Scheibe Brot legen
4 die zweite Scheibe Brot auf den Schinken legen
5 das Butterbrot in zwei Hälften schneiden
6 das Sandwich sofort servieren

6 Translate these instructions into German for a friend.

1 Eat lots of fruit and vegetables.
2 Drink more water.
3 Go to bed early.
4 Eat less chocolate.
5 Don't drink any cola.
6 Do more sport.

Modal verb – *müssen*

müssen (must, to have to) is a modal verb like ***können, dürfen*** and ***wollen***. Modal verbs are used with the infinitive of another verb, which goes at the end of the sentence:

Du ***musst*** *jeden Tag etwas* ***trinken***. You have to drink something every day.

ich ***muss***	*wir müssen*
du ***musst***	*ihr müsst*
er/sie/es ***muss***	*Sie müssen*
	sie müssen

7 Put these words in the correct order. Write out the sentences.
Example: **1** Wir müssen viel Obst und Gemüse essen.

1 Obst essen Wir viel und Gemüse müssen
2 Ihr ins gehen müsst Bett früh
3 Wasser mehr Er trinken muss
4 müssen Stunden trainieren vier Sie
5 weniger Ich Fett muss essen
6 musst laufen pro dreimal Du Woche

wörter

Das Frühstück • Breakfast

der/das Joghurt	*yoghurt*
der Käse	*cheese*
der Schinken	*ham*
der Speck	*bacon*
der Toast	*toast*
der Kaffee	*coffee*
der Tee	*tea*
der Orangensaft	*orange juice*
die Butter	*butter*
die Marmelade	*jam*
die Orangenmarmelade	*marmalade*
die Milch	*milk*
die heiße Schokolade	*hot chocolate*
das Brötchen	*roll*
das Obst	*fruit*
das Ei	*egg*
die Eier (pl)	*eggs*
die Frühstücksflocken (pl)	*cereal*

Was isst du zum Frühstück? • What do you eat for breakfast?

Ich esse einen Joghurt.	*I eat a yoghurt.*
ein Brötchen mit Butter und Marmelade	*a roll with butter and jam*
Ich esse kein Frühstück.	*I don't eat any breakfast.*
Max isst Toast mit Butter.	*Max eats toast with butter.*
Ellie und Sarah essen Eier.	*Ellie and Sarah eat eggs.*
Ich trinke einen Kaffee.	*I drink a coffee.*
eine Tasse Tee	*a cup of tea*
Das ist (un)gesund.	*That's (un)healthy.*
Das ist lecker/furchtbar.	*That's delicious/awful.*

Die Speisekarte • Menu

(der) Fisch mit Reis und Erbsen	*fish with rice and peas*
(der) Flammkuchen mit Sauerkraut	*Flammkuchen with pickled cabbage*
(die) Bratwurst mit Eiern	*fried sausage with eggs*
(die) Gemüsesuppe mit Brötchen	*vegetable soup with a roll*
(das) Hähnchen mit Pommes frites und Karotten	*chicken with chips and carrots*
(das) Schnitzel mit Kartoffeln	*pork fillet in breadcrumbs with potatoes*
(das) Steak mit Rösti	*steak with rösti potatoes/ hash browns*
(die) Käsespätzle mit Salat	*speciality cheesy pasta with salad*

Wie ist das? • What is it like?

süß	*sweet*
sauer	*sour*
salzig	*salty*
scharf	*spicy*
vegetarisch	*vegetarian*
lecker	*delicious*
ekelhaft	*disgusting*

Im Restaurant • In the restaurant

Was nimmst du?	*What are you having?*
Ich nehme ...	*I'll take/I'm having ...*
den Fisch	*the fish*
die Gemüsesuppe	*the vegetable soup*
das Hähnchen	*the chicken*
die Nudeln	*the pasta*

Ein Rezept • A recipe

Nimm ...	*Take ...*
150 Milliliter Milch	*150 millilitres of milk*
50 Gramm Butter	*50 grams of butter*
eine Zwiebel	*an onion*
Schneide ...	*Cut ...*
Misch ...	*Mix ...*
Stell ...	*Put ...*
Erhitze ...	*Heat ...*
Rühre ...	*Stir ...*
Serviere ...	*Serve ...*

Mein Lieblingssandwich • My favourite sandwich

das Ketchup	*ketchup*
der Senf	*mustard*
der Thunfisch	*tuna fish*
die Erdnussbutter	*peanut butter*
die Gurke	*gherkin*
die Mayo	*mayonnaise*
die Olive	*olive*
die Sardelle	*sardine, anchovy*

Gesund bleiben • Staying healthy

Man muss ...	*One/You/People must ...*
acht Stunden schlafen	*sleep for eight hours*
wenig Fett und Zucker essen	*eat little fat and sugar*
viel Obst und Gemüse essen	*eat lots of fruit and vegetables*
mehr Wasser trinken	*drink more water*
früh ins Bett gehen	*go to bed early*
drei Stunden trainieren	*exercise for three hours*
zweimal pro Woche joggen	*jog twice a week*

Die Mahlzeiten • Mealtimes

die Vorspeise	*the starter*
die Hauptspeise	*the main course*
die Nachspeise	*the dessert*

Oft benutzte Wörter • High-frequency words

normalerweise	*usually*
gestern	*yesterday*
bis	*until*
früh	*early*
spät	*late*
mehr	*more*
wenig	*little*
weniger	*less, fewer*
oft	*often*
besser	*better*
mein	*my*
dein	*your*
sein	*his*
ihr	*her*
mit	*with*
ohne	*without*
in	*in, into*
auf	*on, onto*

Strategie 3

Kognaten und falsche Freunde

Cognates and near-cognates are words that are spelled exactly the same or nearly the same as English words and have the same meaning in German. It is helpful to identify these as you can learn them quickly and easily. Look at the word lists on these pages and find all the cognates and near-cognates. You will find more than 20.

Watch out for ***falsche Freunde*** ('false friends'). These are tricky words that look like cognates but have a different meaning. What does ***Marmelade*** actually mean?

Look at page 132 to remind yourself of the five ***Strategien*** you learned in *Stimmt! 1*.

Projektzone
Ein typisch britisches Abendessen!

- *Preparing to give a dinner party*
- *Planning and explaining a menu*

1 Hör zu. Ist das Speise a oder b?

Speise means 'dish'. What do you think ***Vor****speise*, ***Haupt****speise* and ***Nach****speise* mean?

2 Hör noch mal zu. Schreib die Zutaten auf Deutsch auf.
Listen again. Write the ingredients in German.
Beispiel: **1** Salat, ...

With any new words you hear, try to match the sounds to the key phonics words you know to predict the spelling.

3 Partnerarbeit. Wähl eine Nachspeise aus und beschreib sie. Dann tauscht die Rollen.
Beispiel: **1** a

- *Das ist ein Kuchen mit Zitronen und Meringe.*

Das ist	eine Nachspeise ein Kuchen	mit	Obst, Zitronen, Äpfel, Bananen, Erdbeeren, Meringe, Sirup, Marmelade, Sahne, Vanillesoße

1 a b

2 a b

3 a b

Lies die Texte. Verbinde die Beschreibungen mit den Hauptspeisen.

1 *Fischfilet in knusprigem Teig mit Pommes frites, serviert mit Zitron.*
2 *Ein klassischer Burger im englischen Stil mit Kopfsalat, Tomate und roten Zwiebeln, serviert mit Pommes.*
3 *Hackfleischsoße mit Karotten und Zwiebeln, oben mit Kartoffelpüree und Käse überbacken.*
4 *Zwei Cumberland-Würstchen mit Zwiebelsoße, serviert mit Kartoffelpüree.*
5 *Fisch mit Sahnesoße mit Kartoffelpüree und Käse überbacken.*
6 *Hauptspeise aus Schichten mit Nudelplatten, Hackfleischsoße und Béchamelsoße, mit Parmesan überbacken.*

Lies die Beschreibungen noch mal. Wie heißt das auf Deutsch? Schreib es auf.

1 in crispy batter
2 served with
3 lettuce
4 mince
5 mashed potato
6 baked cheese topping
7 sauce
8 layers

Use the words you know, the photos and your knowledge of the dishes to focus in on the unfamiliar words. Use a dictionary only when you have tried other strategies.

Du machst für deinen Austauschpartner/deine Austauschpartnerin ein typisch britisches Abendessen. Mach eine Speisekarte und Notizen, um die Speisen zu erklären.
You are making a typically British dinner for your exchange partner. Create a menu and make notes to explain the dishes.

Beispiel:

Meine Vorspeise/Hauptspeise/Nachspeise ist …
Das ist (Hackfleisch mit …)/Das sind (Nudeln mit …)

Mein Abendessen
Vorspeise

Hauptspeise
Nachspeise

Gruppenarbeit. Am Tisch. Mach einen Dialog. Dann tauscht die Rollen.

Fragen:
- Was ist das?
- Wie heißt die Vorspeise? Hauptspeise? Nachspeise?
- Was ist in der (Vorspeise)?
- Und was noch?
- Ist das scharf, süß, sauer, vegetarisch?

Meinungen:
- Mmm ... das ist lecker!
- Igitt! Das ist zu scharf, süß, sauer, furchtbar, ekelhaft!

Hier ist die Vorspeise!
Wie heißt die Vorspeise?

Was ist in der Vorspeise?
Ist das scharf?

KAPITEL 4 Klassenreisen machen Spaß!

Welcher Satz passt zu welchem Bild?
Beispiel: **1** b

a Ich habe meinen Namen vergessen.
b Ich habe meinen Pass vergessen.

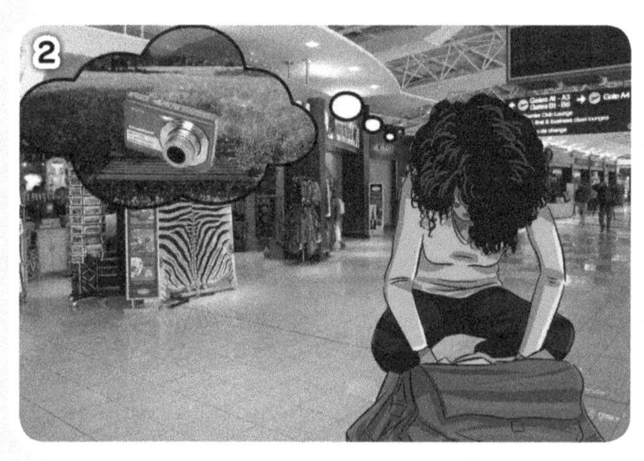

a Ich habe meinen Fotoapparat verloren.
b Wie spät ist es?

a Ich habe meine Tasche im Zug gelassen.
b Man muss acht Stunden schlafen.

a Was möchtest du zum Frühstück essen?
b Weißt du, wo Laura ist?

a Ich nehme einen Hamburger mit Pommes, bitte.
b Ohh, mir ist übel.

a Ich möchte ein Eis, bitte.
b Ich kann meine Fahrkarte nicht finden.

a Es tut mir leid, ich verstehe es nicht.
b Hallo, wie geht's?

a Ich höre sehr gern Klassische Musik.
b Es tut mir leid, ich habe kein Geld.

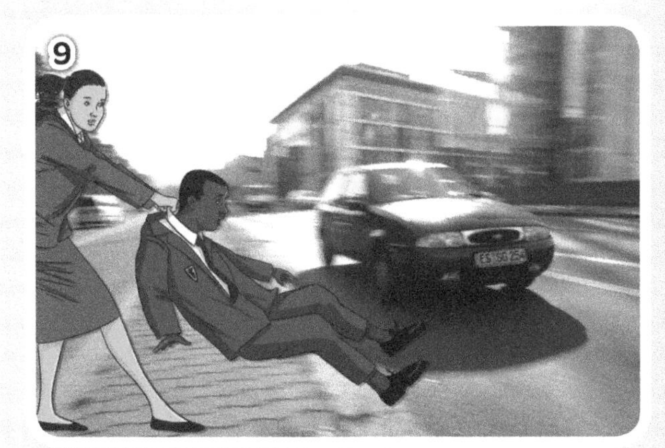

a Die Schule beginnt um acht Uhr.
b Vorsicht! Du musst nach links gucken!

a Achtung auf Gleis drei! Ein Zug fährt durch. Zurückbleiben, bitte!
b Willkommen im Zoo. Bitte die Tiere nicht füttern.

Kulturzone

Many train stations, motorway services and restaurants, especially in tourist areas, have attendants in the toilets to keep them clean – and they expect coins in exchange for this service. In most places, the ***Toilettenfrau/Toilettenmann*** will charge you 30 to 50 cents, but it could be more. There is usually a small plate with a few coins on it. You won't be arrested for not paying, but the attendant won't be happy!

1 Willkommen in der Jugendherberge!

- Understanding rules
- Using **dürfen** and **müssen**

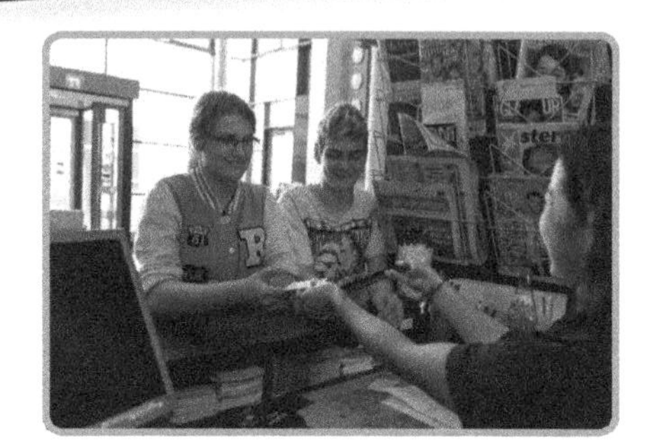

Weißt du das? Jugendherbergen kommen aus Deutschland! Die erste Jugendherberge der Welt gab es im Jahr 1912, nicht weit von Dortmund. Jetzt gibt es in Deutschland über 500 Jugendherbergen. Weltweit gibt es über 4.000 Jugendherbergen.

Was passt zusammen? Finde die Paare.

You won't know what all of the rules mean but you should try and work them out by using strategies you have learned:

- gist
- cognates
- pictures
- thinking of where you've seen certain words or phrases before
- process of elimination

Hausordnung

1 Man muss vor acht Uhr aufstehen.
2 Man muss vor 22:00 Uhr ins Bett gehen.
3 Man muss das Bett machen.
4 Man muss das Zimmer sauber halten.
5 Man muss abwaschen.
6 Man darf nicht rauchen.
7 Man darf nicht im Zimmer essen.
8 Man darf keine laute Musik hören.

Hör zu und überprüfe. (1–8)

Schreib die Sätze auf Englisch auf.

1 Man muss um 19:00 Uhr essen.
2 Man darf nach dem Abendessen fernsehen.
3 Man darf keine Handys auf dem Tisch haben.
4 Man muss nicht abwaschen.
5 Man darf nicht im Schlafzimmer trinken.
6 Man muss nicht Fußball spielen.

Grammatik

Page 90

You already know the modal verbs ***dürfen*** (to be allowed to) and ***müssen*** (to have to). Look at pages 130–131 (*Verbtabellen*) to remind yourself of all the forms.

man darf ... you are allowed to ...
man muss ... you must/have to ...

Be careful of the negative:
man darf ***nicht*** ... you are **not** allowed to/must **not** ...
Man ***darf nicht*** *rauchen.* You are not allowed to/must not smoke.

Remember to use ***kein(e)*** with nouns:
Man darf ***keine*** *laute Musik hören.* You are not allowed to listen to loud music.

Do **not** use ***man muss nicht*** to say what you must not do. It is used to say that something is not compulsory, you don't have to do it.
Man ***muss nicht*** *um sieben Uhr aufstehen.* You **don't have** to get up at seven o'clock (but it would be good if you did).

Hör zu. Sieh dir die Bilder in Aufgabe 1 an. Welche Regel ist das? (1–7)
Beispiel: **1** e

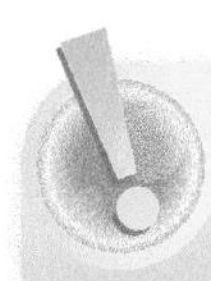

Watch out! You need to listen for two items in number 6.

Lies die Sätze. Was darf man nicht in der Jugendherberge machen? Was muss man machen? Schreib Sätze auf.
Beispiel: **1** Du musst das Bett machen.

1 Ich mache das Bett nicht. ➜ Du ...
2 Ich will um 23:00 Uhr ins Bett gehen. ➜ Du ...
3 Herr Springer raucht. ➜ Er ...
4 Wir hören laute Musik. ➜ Ihr ...
5 Ich will das Zimmer nicht sauber halten. ➜ Man ...
6 Sarah isst eine Packung Chips im Zimmer. ➜ Sie ...
7 Wir stehen um neun Uhr auf. ➜ Ihr ...
8 Sie waschen nicht gern ab. ➜ Sie ...

For exercises 5 and 6, refer to the ***Hausordnung*** in exercise 1. And also remind yourself of all the forms of ***dürfen*** and ***müssen***.

Grammatik

You have come across ***fernsehen*** (to watch TV) before. It is called a separable verb. When it is used as the main verb in a sentence, the prefix ***fern*** separates and jumps to the end:
*Ich **sehe** jeden Tag **fern**.*

The verbs ***aufstehen*** and ***abwaschen*** do the same:

*Ich **stehe** um sieben Uhr **auf**.*
I get up at seven o'clock.

*Ich **wasche** nicht gern **ab**.*
I don't like washing up.

Remember to use separable verbs in their infinitive form after modal verbs, e.g. ***dürfen*** and ***müssen***:

*Man **muss** vor acht Uhr **aufstehen**.*

Partnerarbeit. Mach Dialoge. Stimmt das oder stimmt das nicht?
Beispiel:

- *Ich darf um neun Uhr aufstehen.*
- *Nein, das stimmt nicht! Du musst vor acht Uhr aufstehen. Man muss abwaschen.*
- *Ja, das stimmt. Wir müssen abwaschen.*

Schreib die Hausordnung für deine ideale Jugendherberge auf.
Beispiel:

Hausordnung
Man darf im Zimmer essen.
Man muss laute Musik hören.

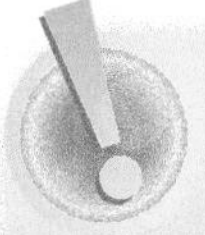

Raise the level of your language by giving reasons for your choice of rules or joining rules together:
*Man muss laute Musik hören, **weil** laute Musik sehr gut ist.*
*Man darf im Zimmer essen, **aber** man muss das Zimmer sauber halten.*

2 Mein Tagesablauf

- ➤ *Discussing daily routine*
- ➤ *Using reflexive and separable verbs*

Lies die E-Mail von Florian und sieh dir die Bilder an. Was ist die richtige Reihenfolge?
Beispiel: f, ...

> Hallo Bastian!
> Es ist toll hier in der Jugendherberge!
> - Ich stehe um sieben Uhr auf.
> - Ich wasche mich oder ich dusche mich um 07:10 Uhr.
> - Ich ziehe mich um 07:20 Uhr an.
> - Ich frühstücke um 07:30 Uhr.
> - Ich gehe um 08:15 Uhr aus.
> - Ich komme um 18:00 Uhr zurück.
> - Ich esse um 18:50 Uhr zu Abend.
> - Ich gehe um 21:45 Uhr ins Bett.
>
> Was meinst du? Toll, oder was?
> Dein Florian

Hör zu und überprüfe.

Grammatik

Page 90

Reflexive verbs have a word for 'self' in them, although this is not always used in the English equivalent.

***sich** waschen* – to get washed (to wash **yourself**)

*ich wasche **mich***	I get washed (I wash **myself**)
*du wäschst **dich***	you get washed (you wash **yourself**)
*er/sie wäscht **sich***	he/she gets washed (he/she washes **himself/herself**)

The reflexive pronouns (*mich, dich, sich*) usually go immediately after the verb.

*Ich **wasche mich** im Badezimmer.* I get washed in the bathroom.

In questions and sentences where the subject is after the verb ('verb second' rule), the **reflexive pronoun** goes after the subject pronoun.

*Um sieben Uhr wasche ich **mich**.* At seven o'clock I get washed.
*Wäscht er **sich**?* Is he getting washed?

Wie heißt das auf Deutsch? Schreib es auf.

1. She gets washed before breakfast.
2. He gets dressed in the bathroom.
3. I have a shower at 07.30.
4. At eight o'clock I get washed.
5. When do you get washed?
6. Are you getting dressed now?

You have already come across some **separable verbs**, e.g. ***auf**stehen* (to get up). Here are three more:

***aus**gehen* (to go out)
***zurück**kommen* (to come back)
*sich **an**ziehen* (to get dressed) – separable and reflexive!

Remember to put the **separable** part at the **end** of the sentence:

*Du gehst um zehn Uhr **aus**.*
*Ich ziehe mich jetzt **an**.*

Was passt zusammen? Finde die Paare.
Beispiel: **1** d

1 um sieben Uhr
2 um fünf nach vier
3 um zehn nach neun
4 um Viertel nach zehn
5 um zwanzig nach sechs
6 um halb acht
7 um zwanzig vor zwei
8 um Viertel vor zwölf
9 um zehn vor sieben

You have met ***vor*** (before) and ***nach*** (after) in phrases like ***vor*** *der Pause* and ***nach*** *der Mittagspause*.

In clock times *vor* means 'to' and *nach* means 'past'.

Viertel is a quarter – the number ***vier*** might help you remember this.

Be very careful with ***halb*** (half) – in English you say 'half **past**' an hour but Germans use it as 'halfway **to**' the next hour:

halb neun = halfway to nine o'clock = 08.30.

Tanja arbeitet in der Jugendherberge. Hör zu. Notiere die Uhrzeit und die Aktivität auf Englisch.
Beispiel: 06.20 – get up, ...

Vervollständige die Sätze.
Beispiel: **1** Ich stehe um fünf nach sieben auf.

1 Ich stehe auf. 

2 Er duscht sich. 

3 Du ziehst dich an. 

4 Wir frühstücken. 

5 Sie geht aus. 

6 Ich gehe ins Bett. 

Partnerarbeit. Mach Dialoge. Was machst du wann?
Beispiel:

- ● *Ich stehe um halb sieben auf, dann dusche ich mich.*
- ■ *Was machst du dann?*
- ● *Ich ziehe mich an und ich frühstücke um sieben Uhr.*

Wie ist dein Tagesablauf an einem Schultag und am Wochenende? Schreib einen Bericht.
Beispiel:

Montags stehe ich um ... Uhr auf. Ich ..., dann ...
Ich muss um ... ausgehen. ...
Am Wochenende darf ich um ... frühstücken. Ich ...

Try to include words and phrases you have learned before. You could put a time phrase first, remembering to put the **verb** next.

Um sieben Uhr ***stehe*** *ich auf, dann* ***wasche*** *ich mich.*

You could also give some reasons and build up to more complicated sentences:

Normalerweise ***ziehe*** *ich mich vor dem Frühstück* ***an***, ***weil*** *es kalt ist, aber ...*

3 Wir gehen auf Schatzsuche

- Understanding and giving directions
- Using imperatives in the **du**, **ihr** and **Sie** forms

Was passt zusammen? Finde das richtige Straßenschild.
Match the pairs. Find the right road sign.
Beispiel: **1** c

Wie komme ich zum (Bahnhof)?

Wie komme ich zur (Jugendherberge)?

1 Geh nach links!
2 Geh nach rechts!
3 Geh geradeaus!
4 Nimm die erste Straße links!
5 Nimm die erste Straße rechts!
6 Nimm die zweite Straße links!
7 Nimm die dritte Straße rechts!
8 Geh an der Ampel links!
9 Geh an der Kreuzung rechts!

a 
b 
c 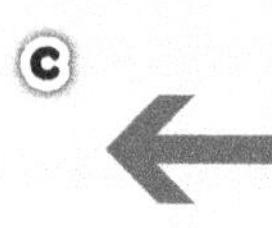
d 
e 
f 
g 
h 
i 

Helpfully 'left' and 'right' begin with the same letters in English and German.

You already know the German for ordinal numbers (first, second, third).

Think about the sound of ***Kreuz*** (in the word ***Kreuzung***). It is not too far from its English equivalent. What shape do you think it describes?

Hör zu und überprüfe.

Hör zu. Welches Straßenschild ist das? (1–4)
Beispiel: **1** a, i

Partnerarbeit. Sieh dir den Plan an und mach Dialoge.
Beispiel:

- *Wie komme ich (zum Bahnhof)?*
- *(Geh geradeaus!)*

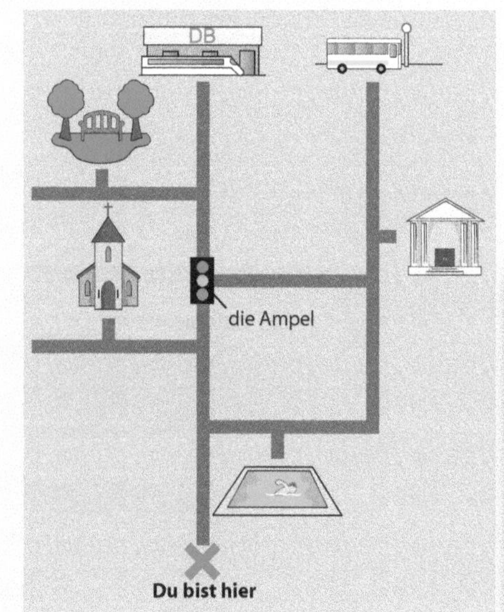

Grammatik

The preposition ***zu*** (to) changes the words for 'the':
der/das → ***dem*** and *die* → ***der***.

der *Bahnhof* → ***zu dem*** *Bahnhof* → ***zum*** *Bahnhof*	**to the** station
das *Museum* → ***zu dem*** *Museum* → ***zum*** *Museum*	**to the** museum
die *Post* → ***zu der*** *Post* → ***zur*** *Post*	**to the** post office

Note that ***zu dem*** is usually shortened to ***zum*** and ***zu der*** is usually shortened to ***zur***.

Wie komme ich ***zum*** *Bahnhof?* How do I get to the station?

Wie komme ich ***zur*** *Post?* How do I get to the post office?

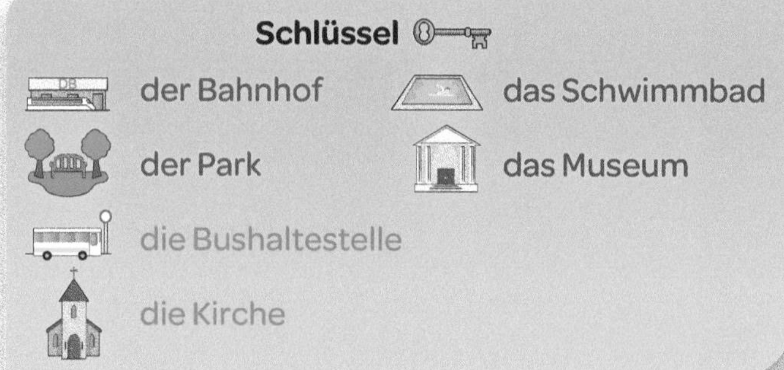

Hör zu und lies. Welches Bild ist das? (1–3)

1 Geh an der Ampel links!

2 Geht geradeaus!

3 Gehen Sie nach rechts!

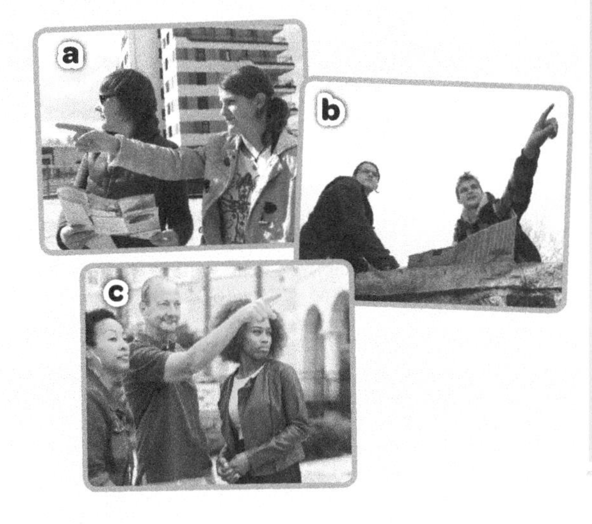

Grammatik

Page 91

When using the imperative to give directions, the verb changes depending on who is being spoken to:

	Go ...	Take ...
du (one young person)	***Geh ...!***	***Nimm ...!***
ihr (two young people)	***Geht ...!***	***Nehmt ...!***
Sie (one or more adults)	***Gehen Sie ...!***	***Nehmen Sie ...!***

The ***ihr*** and ***Sie*** forms are just like the present tense of the verb (but leave out ***ihr*** and put ***Sie*** after the verb).

It's important to be polite when addressing somebody:

Entschuldigung/Bitte, ... Excuse me, ...

Danke (sehr/schön)./Vielen Dank. Thank you (very much).

Bitte (sehr/schön)./Nichts zu danken. You're welcome.

Hör zu. Wohin gehen sie? Und welche Imperativform benutzen sie (du/ihr/Sie)? (1–5)

Where are they going and which form of the imperative is used?

***Beispiel:* 1** zum Park – du

Hör noch mal zu. Wie kommt man dahin? Mach Notizen auf Englisch. (1–5)

***Beispiel:* 1** left at the lights, second right, then straight on

Partnerarbeit. Schatzsuche! Sieh dir die Schatzsuche und die Bilder an. Was findet man wo? Mach Dialoge.

Beispiel:

- *Wo findet man (einen Markt)?*
- *Man findet (einen Markt) (vor der Kirche).*
  Wo findet man (eine Bushaltestelle)?

Schatzsuche

Wo findet man:	Dort findet man das:
• einen Markt	• vor dem Bahnhof
• einen Schüler und eine Schülerin	• vor der Jugendherberge
• ein Souvenirgeschäft	• vor der Kirche
• eine Imbissstube	• vor dem Museum
• eine Bushaltestelle?	• vor dem Park

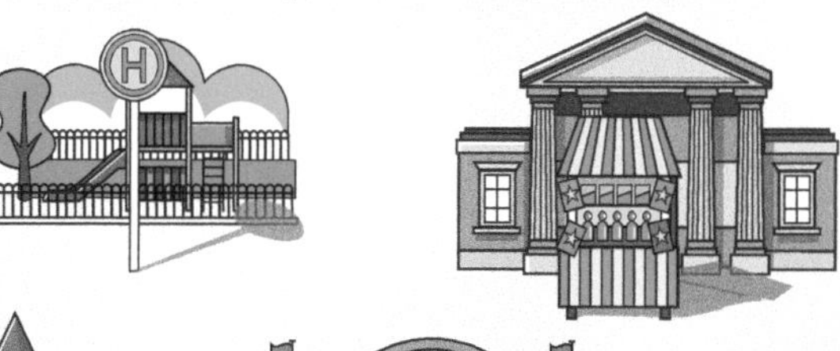

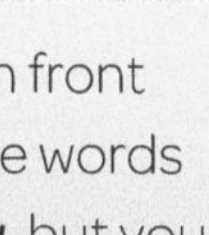

The preposition ***vor*** (in front of, before) changes the words for 'the' in the same way as ***zu***, but you don't shorten the two words:

vor dem *Park* (in front of the park)

vor der *Kirche* (in front of the church)

Wie kommt man zu deiner Schule? Beschreib auf Deutsch den Weg für die Schulwebsite.

Beispiel:

Sie sind vor dem Bahnhof. Gehen Sie geradeaus und nehmen Sie die erste Straße links. Gehen Sie ..., dann ...

Remember to use the correct form of the imperative to give directions to parents/visitors.

4 Auf einem Fest

- Describing a festival
- Using adjectives to describe nouns

Kulturzone

Jedes Jahr gibt es in Deutschland, Österreich und der Schweiz viele Feste. Ein sehr großes Fest ist **das Schützenfest** in Hannover – das größte Schützenfest der Welt. Zehn Tage lang gibt es viel Spaß für Jung und Alt: traditionelle und moderne Kirmes-Attraktionen, Musik, Tanz, Imbiss ... toll!

Fast alle Städte und Dörfer haben ein Fest. Einige sind ziemlich groß, wie zum Beispiel in Zürich (in der Schweiz). Einige sind ganz klein, wie zum Beispiel in Obermillstatt (einem Dorf in Österreich).

das Schützenfest = fair (with target-shooting competition)
die Kirmes = funfair

Sieh dir die Bilder an. Hör zu und lies.

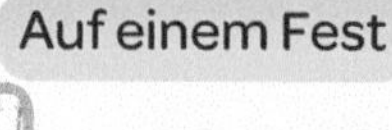

1 ein langer Umzug

2 ein schöner Festwagen

3 eine laute Band

4 ein buntes Kostüm

5 ein traditioneller Hut

6 bunte Fahnen

7 eine große Kirmes

8 ein tolles Fahrgeschäft

9 ein leckerer Imbiss

Grammatik

Page 91

When you use an adjective before a noun, e.g. *ein **langer** Umzug*, it has a different ending for masculine, feminine and neuter. Here are the endings after the indefinite article ***ein*** and in the plural with no article:

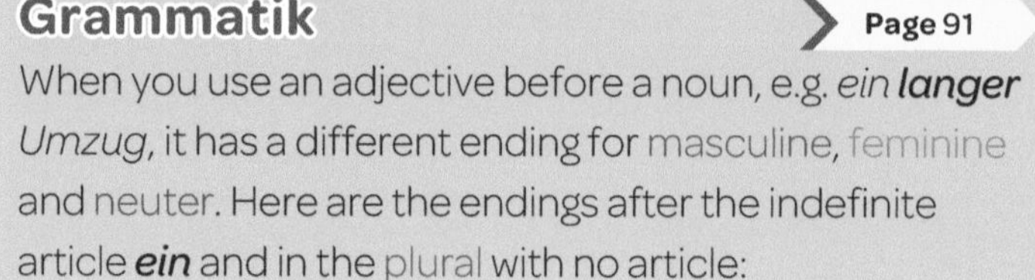

masc. add *-er*	*ein langer Umzug*	a long procession
fem. add *-e*	*eine laute Band*	a loud band
nt. add *-es*	*ein buntes Kostüm*	a colourful costume
pl. add *-e*	*bunte Fahnen*	colourful flags

Wie heißt das auf Deutsch? Schreib es auf.

Beispiel: **1** Das ist eine rot**e** Kappe.

1 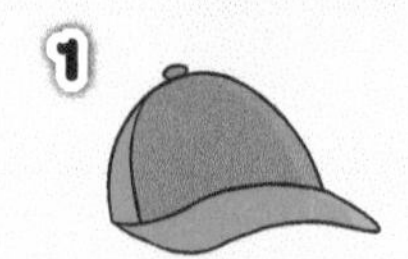

2 

3 

4 

5 

6 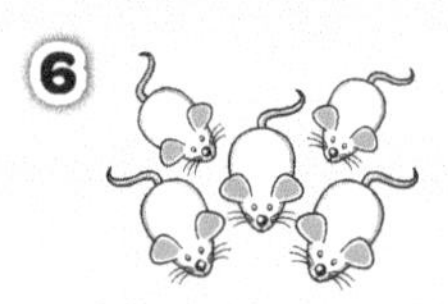

alt Auto grün Hund ~~Kappe~~ Mäuse Pferd ~~rot~~ schnell schwarz Tür weiß

Hör zu. Was gab es auf dem Fest? Wähl die richtigen Antworten aus. (1–5)

Beispiel: **1** e, g

a viele fantastische Festwagen
b einen komischen Hut
c ein großes Pferd
d bunte Fahnen
e tolle Fahrgeschäfte
f grüne Haare
g einen leckeren Imbiss
h traditionelle Kostüme
i eine tolle Band
j einen langen Umzug

Grammatik

Page 91

When *ein* (masculine) changes to *ein**en*** after verbs such as ***sehen***, ***haben***, ***tragen*** and after ***es gibt/gab***, the adjective also adds ***–en***:

*Es gab ein**en** groß**en** Umzug.*

*Er trägt ein**en** traditionell**en** Hut.*

Feminine, neuter and plural nouns do not change.

Es gab eine tolle Band.

Sie trägt ein buntes Kostüm und große Schuhe.

The verb ***tragen*** (to wear) follows the same irregular pattern as ***fahren*** in the present tense: *du tr**ä**gst, er/sie/es/man tr**ä**gt.*

And the perfect tense is *ich habe getrag**en***.

Beschreib den Zauberer. Vervollständige die Sätze.

Describe the magician. Complete the sentences.

Beispiel: Der Zauberer hat weiß**e** Haare ...

Der Zauberer hat (1 *white*) Haare und er trägt einen (2 *big*) (3 *black*) Hut und eine (4 *blue*) Brille. Er trägt ein (5 *colourful*) Kostüm und (6 *enormous*) (7 *green*) Schuhe. Er hat einen (8 *funny*) Trick gemacht – er hat ein (9 *new*) Handy in eine (10 *red*) Fahne gesteckt und jetzt ist es nicht mehr da.

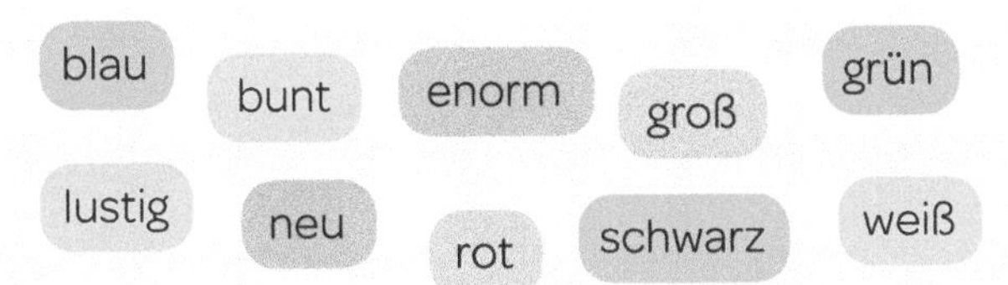

Partnerarbeit. Stell und beantworte Fragen.

Beispiel:

- *Was gibt es auf dem Bild?*
- *Es gibt (einen großen Umzug). Was siehst du?*
- *Ich sehe ...*

Karneval – ein sehr großes Fest

Du warst auf dem Schützenfest. Mach Notizen, dann beschreib deinen Tag.

- Wo und wann war das Fest?
- Wo hast du gewohnt?
- Wie kommt man zum Fest?
- Wie war das Fest?
- Was gab es? Was hast du gesehen?
- Wirst du nächstes Jahr auf das Fest gehen?

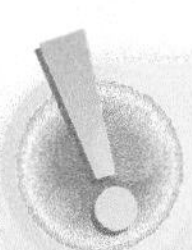

You could use internet research to find some photos of the event and include them in your presentation.

Try to use as many adjectives as you can – colour, size, age, personality, etc. – and remember to add the correct ending when you use them before a noun.

Remember also that the past tense of ***es gibt*** (there is/are) is ***es gab*** (there was/were).

Writing Skills

5 Wir feiern!

- Learning and writing about festivals in Switzerland
- Describing a festival you have visited

1 Hör zu und lies die Blogs. (1–4)

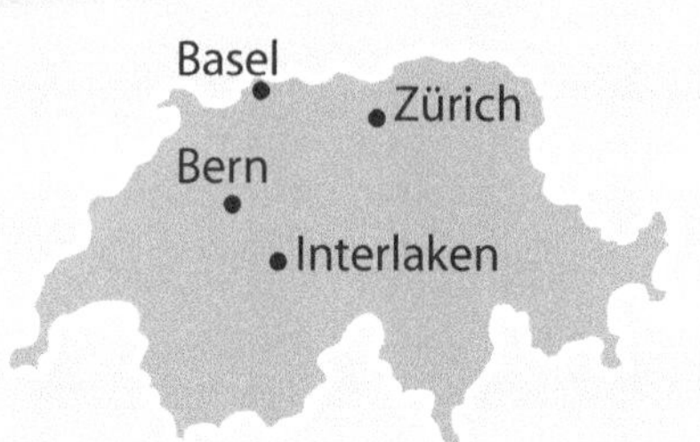

1 Jedes Jahr in der Woche nach dem Aschermittwoch ist mein Lieblingsfest: die Basler Fasnacht. Es gibt viele Fasnachtsgruppen und alle tragen bunte Kostüme und Masken. Sie haben auch Musikinstrumente und große Laternen und am Montagmorgen um vier Uhr beginnt ein lauter Umzug in der Stadtmitte. Das macht sehr viel Spaß, weil viele Leute zur Fasnacht nach Basel kommen.

2 Ich komme aus Bern und Ende November gibt es immer den Zwiebelmarkt, ein großes Fest in der Stadtmitte. Auf dem Markt gibt es über fünfzig Tonnen Zwiebeln! Sie sehen sehr schön aus, weil sie so gut präsentiert sind. Man kann auch viele andere Sachen kaufen, wie auf einem normalen Markt, aber am liebsten kaufe ich eine heiße Käse- und Zwiebelquiche. Die ist so lecker!

3 Am 1. August arbeitet man in der Schweiz nicht, weil man den Nationaltag feiert. Ich wohne in Zürich und wir fahren in ein kleines Dorf. Dort gibt es einen „Brunch auf dem Bauernhof" – man isst Brot, Käse, Wurst und viele schöne Sachen. Einige Leute tragen traditionelle Kostüme und spielen Volksmusik. Am Abend gibt es ein großes Feuerwerk in der Stadt. Toll!

4 Interlaken ist meine Heimatstadt und am 2. Januar haben wir ein interessantes Fest – es heißt das Harder-Potschete-Fest. Es gibt einen Umzug, wo man traditionelle Musik spielt, und viele Leute tragen große, groteske Masken aus Holz. Diese Leute sind laut und beängstigend! Nach dem Umzug isst und trinkt man zusammen.

Kulturzone

Fasnacht is also known as *Fasching* or *Karneval* and is celebrated in many parts of Germany, Austria and Switzerland. Depending on the region, it is an opportunity for festivities before the fasting of Lent or to drive out the 'evil spirits' of winter with scary masks and loud music.

jedes Jahr = every year
wie = as, like
einige = some, a few
die Heimatstadt = home town
aus Holz = made of wood
beängstigend = frightening

2 Lies die Blogs noch mal und sieh dir die Bilder an. Was passt zusammen? Finde die Paare.

a

b

c

d

3 Lies die Blogs noch mal. Wie heißt das auf Deutsch? Schreib es auf.

1 Everyone wears colourful costumes.
2 on Monday morning
3 in the town centre
4 That's a lot of fun.
5 They look really nice.
6 lots of other things
7 They celebrate the National Day.
8 We drive to a small village.
9 a big firework display
10 after the procession

Look at the exercise and try to spot key words in the text – don't worry if you don't understand every word. Use the context to guess the meaning of unfamiliar words.

Hör zu und lies.

Anna

Letzten Sommer habe ich meine Freundin Tina in Bern besucht. Bern ist keine große Stadt, aber sie ist die Hauptstadt der Schweiz und dort gibt es viel zu tun. Wir haben fünf Tage im Juli auf dem Gurtenfestival verbracht. Das ist ein fantastisches Musikfest auf dem Gurtenhügel – das ist ein schöner Park auf einem Berg in Bern. Man kann zu Fuß zum Park gehen, aber Tina und ich sind faul und wir sind mit der Bergbahn gefahren. Die Fahrt dauert nur sieben Minuten, aber wir haben 30 Minuten auf den Zug gewartet! Blöd, nicht?

Die Stimmung war toll und die Musik war super! Wir haben Schweizer Bands und internationale Gruppen gehört und ich habe so viel getanzt und gesungen. Auch das Wetter war nicht schlecht. Es hat am Samstag ein bisschen geregnet, aber an den anderen Tagen war es heiß und sonnig.

Wir waren nach dem Festival natürlich sehr müde und wir haben zwei Tage lang nichts gemacht. Hoffentlich werde ich nächstes Jahr auch auf das Gurtenfestival gehen – es hat so viel Spaß gemacht!

die Fahrt = journey
dauern = to last
die Stimmung = atmosphere

To improve the level of your writing, try to vary the language you use.

- Use different adjectives to add depth to your descriptions.
- Use qualifiers such as ***sehr***, ***zu***, ***total***, ***ziemlich***, ***gar nicht*** to strengthen your opinions and descriptions.
- Use connectives (***und***, ***aber***, ***weil***) to make some of your sentences longer and more interesting.
- Try to find different ways of expressing the same thing, such as using synonyms (words that mean the same), negatives and opposites:
  im August → im Sommer
  klein → nicht sehr groß

Was passt zusammen? Finde die Paare.
Beispiel: **1** d

1 letzten Sommer
2 ein Fest
3 faul
4 dreißig Minuten
5 toll
6 Schweizer Bands
7 nicht schlecht
8 heiß
9 zwei Tage
10 hoffentlich

a eine halbe Stunde
b ziemlich gut
c fantastisch
d in den Schulferien
e ich hoffe
f ein Festival
g 48 Stunden
h Gruppen aus der Schweiz
i sehr warm
j nicht sportlich

Find the words and phrases which show two ways of expressing approximately the same thing. Try to think of other synonyms and try them out on a partner.

Du warst auf einem Fest aus Aufgabe 1. Schreib einen Artikel für die Schülerzeitung. Finde Informationen im Internet oder in Büchern.

- Wo war das Fest?
- Wann war es und wie lang war es?
- Warum feiert man das Fest?
- Was gab es auf dem Fest?
- Was hat man gemacht?
- Wie war das Wetter?
- Hast du Bilder davon?

Use words and phrases from the descriptions in exercises 1 and 4, but try to find other ways of saying things and add more detail where possible.

If you use a dictionary, make sure you have the correct meaning by looking up the word you have found from German to English.

You can extend the level of your writing by:

- using past, present and future tenses
- expressing opinions and points of view
- joining sentences together
- structuring paragraphs.

6 Im Aktivurlaub

- Describing an activity holiday
- Using reflexive and separable verbs in the perfect tense

1 Hör Bastian zu und lies sein Tagebuch.

Bastian

das Hallenbad

Montag

Ich bin um 12:00 Uhr im Sommercamp angekommen. Eine Woche Aktivurlaub im Schwarzwald – toll! Um 14:00 Uhr gab es Wassersport: Ich bin zwei Stunden lang Kanu gefahren.

Nach dem Abendessen haben wir Volleyball gespielt. Ich habe nicht ferngesehen, denn es gibt hier keinen Fernseher! Unglaublich!

Dienstag

Ich habe nicht gut geschlafen, weil es im Zimmer zu laut war. Ich bin früh aufgestanden und ich habe mich um 6:30 Uhr angezogen!

Am Nachmittag haben wir eine Radtour im Wald gemacht, aber es hat geregnet und ich war am Ende sehr schmutzig. Natürlich habe ich mich vor dem Abendessen geduscht!

Mittwoch

Weil es heute stark geregnet hat, sind wir zum Hallenbad gegangen und haben Wasserball gespielt. Ich habe mich gut amüsiert, aber hoffentlich ist es morgen sonnig.

Donnerstag

Das Wetter war viel besser, also haben wir einen Wildpark besucht. Die Tiere waren nicht so interessant und ich habe mich ein bisschen gelangweilt, aber ich bin auf einer Sommerrodelbahn gefahren – das war so schnell!

Ich freue mich auf Freitag, weil wir ein großes Feuerwerk haben.

Remember that the perfect tense has two parts: the auxiliary (part of ***haben*** or ***sein***) and the past participle (usually begins with **ge** and ends in **–t** or **–en**).

*Wir **haben** Volleyball **gespielt**.*

*Ich **bin** Kanu **gefahren**.*

ankommen (separable) = to arrive
sich amüsieren = to have fun
sich langweilen = to be bored
sich freuen auf = to look forward to

2 Lies den Text noch mal. Wie heißt das auf Deutsch? Schreib es auf.

1 in the Black Forest
2 I went canoeing.
3 Unbelievable!
4 very dirty
5 a wildlife park
6 on a dry toboggan run

Finde im Tagebuch in Aufgabe 1:

1 Four connectives
2 Seven examples of the perfect tense with ***haben*** which are **not** reflexive (underline the one which is separable)
3 Four different verbs in the perfect tense with ***sein*** (underline the two which are separable)
4 Four reflexive verbs in the perfect tense with ***haben*** (underline the one which is separable)

Grammatik

Reflexive verbs (e.g. ***sich duschen***) in the perfect tense are no different from other verbs. You just need to remember to put the reflexive pronoun (***mich***, ***sich***) after the auxiliary (***haben***).

*Ich **habe mich** vor dem Abendessen **geduscht**.*

For **separable verbs** (e.g. ***fernsehen***, ***aufstehen***) in the perfect tense, the separable prefix joins up with the past participle as one word.

*ich sehe ... **fern** ➜ ich habe ... **fern**gesehen*

*Wir **haben** nicht **ferngesehen**.*

*ich stehe ... **auf** ➜ ich bin ... **auf**gestanden*

*Du **bist** früh **aufgestanden**.*

The verb ***sich anziehen*** (to get dressed) is both reflexive and separable. Look at how this is written in the perfect tense:

*Ich **habe mich** um sechs Uhr **angezogen**.*

Wie heißt das auf Deutsch? Schreib es auf.

1 I arrived at ten o'clock.
2 I got up at six o'clock.
3 We didn't watch TV.
4 She had a shower.
5 I got dressed before supper.
6 He had fun.
7 She was a bit bored.
8 He is looking forward to Friday.

Aktivurlaub ohne Eltern!

Sommer-Film-Camp in Baden-Württemberg
Willst du Regisseur, Kameramann oder Schauspieler sein? Beim Sommer-Film-Camp kannst du deinen eigenen Film drehen!

Das Programm
Du willst einen Film machen? Einen „richtigen" Film? Mit einem professionellen Kino-Regisseur macht ihr in kleinen Gruppen viele Filme. Komödie, Dokumentarfilm, Action - alles ist möglich! Und am Ende bekommst du deinen Film auf DVD.
Aber das ist nicht alles - auf dem Programm gibt es auch: Nachtwanderung, Grillen, Pizzabacken, Klettern, Sport, Spaß und und und ...!

Die Unterkunft
In Vierbett- oder Sechsbettzimmern in der Jugendherberge Balingen-Lochen.
Dort gibt es: Tischtennistisch, Pizzabackofen, Platz für Volleyball, Fußball, Basketball, ...

Partnerarbeit. Lies die Werbung. Was machen sie im Urlaub? Wie findest du das?

Beispiel:

● *Was macht man zum Beispiel im Sommer-Film-Camp?*
■ *Man macht (viele Filme) ... Das finde ich ..., aber ...*

Du warst in einem Aktivurlaub. Schreib dein Tagebuch auf. Sieh dir Aufgaben 1 und 5 zur Hilfe an.

- Wo war das?
- Wie war die Unterkunft?
- Was hast du (nicht) gemacht?
- Welche Aktivitäten hast du gut/schlecht gefunden?
- Hast du dich gelangweilt?
- Wie war das Wetter?
- Möchtest du noch einmal einen Aktivurlaub machen?

This is your opportunity to show how much you can adapt language you already know and apply patterns to new words.

If you need to look up a word, check it carefully:

- Verbs – are they regular or irregular, reflexive, separable? What is the past participle? Does it take ***haben*** or ***sein***?
- Nouns – what gender are they?
- Adjectives – do they need an ending?

Lernzieltest

I can...

1

■ understand what you're allowed/not allowed to do using the modal verb ***dürfen***	Man darf Fußball spielen. Man darf nicht rauchen.
■ understand what you have/don't have to do using the modal verb ***müssen***	Man muss das Bett machen. Man muss nicht früh aufstehen.
■ use separable verbs	Ich **wasche** nicht gern **ab**.

2

● discuss daily routine	Ich gehe um 23:00 Uhr ins Bett.
● say what time I do something	Ich frühstücke **um** halb acht.
■ use reflexive verbs in the present tense	Sie duscht **sich**.
■ use separable verbs in the present tense	Er **steht** um sieben Uhr **auf**.

3

● understand and give directions	Geh an der Ampel links!
■ ask for directions using the preposition ***zu*** and the correct word for 'the' (dative case)	Wie komme ich **zum** Bahnhof, bitte? Wie komme ich **zur** Post?
■ use imperatives in the ***du***, ***ihr*** and ***Sie*** forms	**Geh** nach rechts! **Nehmt** die erste Straße links! **Gehen** Sie geradeaus!
■ use the preposition ***vor*** and the correct word for 'the' (dative case)	Man findet das **vor dem** Eiscafé. Das ist **vor der** Kirche.
address people politely	Entschuldigung, wie komme ich zum Park? Danke sehr.

4

● describe a festival	Auf dem Fest gab es einen langen Umzug.
■ use adjectives to describe nouns	Eine laute Band hat gespielt.
■ use the irregular verb ***tragen*** (to wear)	Er **trägt** einen Hut. Sie hat ein traditionelles Kostüm **getragen**.

5

● learn and write about festivals in Switzerland	Am 1. August feiert man den Schweizer Nationaltag.
● describe a festival I have visited	Wir haben Schweizer Bands und internationale Gruppen gehört.
use context to work out meaning	
add variety to improve my writing, for example by using synonyms	im Sommer ➔ im August

6

● describe an activity holiday	Am Nachmittag haben wir eine Radtour im Wald gemacht.
■ use reflexive verbs in the perfect tense	Ich **habe mich** am Abend **geduscht**.
■ use separable verbs in the perfect tense	Ich bin um sechs Uhr **aufgestanden**. Ich habe **ferngesehen**.

Wiederholung

Hör zu und schreib den richtigen Buchstaben auf. (1–6)
Beispiel: **1** f

Partnerarbeit. Wohin gehst du? Rate mal! Sieh dir den Stadtplan an und mach Dialoge.
Beispiel:

- *Geh geradeaus und nimm die erste Straße links. Geh an der Kreuzung rechts. Wohin gehst du?*
- *Ich gehe zur Imbissstube.*
- *Ja, richtig.*

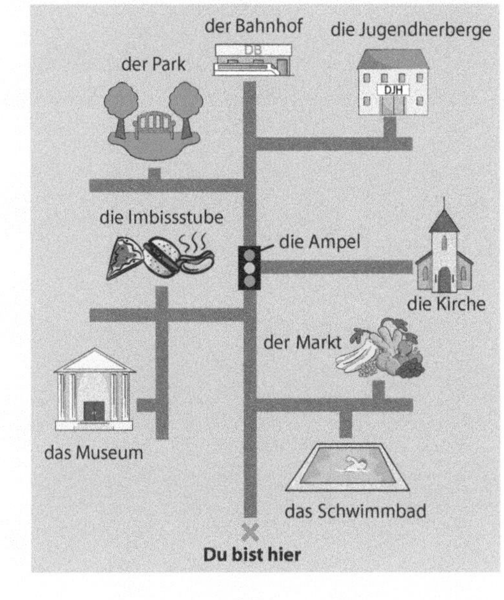

Lies die E-Mail. Finde die vier richtigen Sätze (1–8). Korrigiere die falschen Sätze.

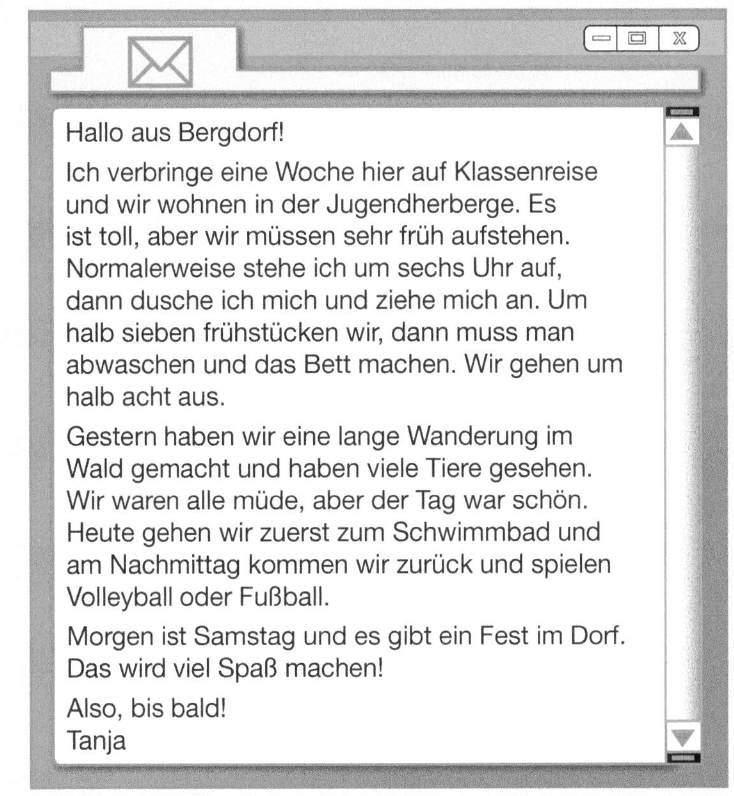

Hallo aus Bergdorf!

Ich verbringe eine Woche hier auf Klassenreise und wir wohnen in der Jugendherberge. Es ist toll, aber wir müssen sehr früh aufstehen. Normalerweise stehe ich um sechs Uhr auf, dann dusche ich mich und ziehe mich an. Um halb sieben frühstücken wir, dann muss man abwaschen und das Bett machen. Wir gehen um halb acht aus.

Gestern haben wir eine lange Wanderung im Wald gemacht und haben viele Tiere gesehen. Wir waren alle müde, aber der Tag war schön. Heute gehen wir zuerst zum Schwimmbad und am Nachmittag kommen wir zurück und spielen Volleyball oder Fußball.

Morgen ist Samstag und es gibt ein Fest im Dorf. Das wird viel Spaß machen!

Also, bis bald!
Tanja

1. Tanjas Klasse ist nach Bergdorf gekommen.
2. Tanja verbringt zehn Tage in einer Jugendherberge.
3. Sie findet die Jugendherberge toll.
4. Normalerweise frühstückt sie um 07:30 Uhr.
5. Vor dem Frühstück wäscht sie ab und macht das Bett.
6. Am Donnerstag hat die Klasse eine Wanderung gemacht.
7. Am Freitag macht man ein bisschen Sport.
8. Tanja hat das Fest sehr lustig gefunden.

Sieh dir Tanjas Email (Aufgabe 3) an. Du warst auf dem Fest. Schreib ein Blog.

Grammatik

dürfen and *müssen*

You already know the modal verbs ***dürfen*** (to be allowed to) and ***müssen*** (to have to).

man darf you are allowed to ...
man muss you must/have to ...

Look at pages 130–131 (**Verbtabellen**) to remind yourself of all the forms.

The negative form needs special care:

man darf ***nicht*** ... you are **not** allowed to/must **not** ...

Man ***darf nicht*** *rauchen.* You are not allowed to/must not smoke.

Remember to use ***kein(e)*** with nouns:

Man darf ***keine*** *laute Musik hören.* You are not allowed to listen to loud music.

Do **not** use ***man muss nicht*** to say what you must not do. It is used to say that something is not compulsory, you don't have to do it.

Man ***muss nicht*** *um sieben Uhr aufstehen.* You **don't have to** get up at seven o'clock (but it would be good if you did).

1 Translate the sentences into English.

1. Ich darf einen Hut tragen.
2. Man muss vor zehn Uhr ausgehen.
3. Ich muss zum Bahnhof gehen.
4. Du darfst kein Eis essen.
5. Heute muss man nicht schwimmen.
6. Man darf nicht nach rechts fahren.

2 Translate the sentences into German.

1. You are allowed to eat an ice cream.
2. She has to go to the market.
3. You must not wear a hat.
4. We don't have to watch TV.

Reflexive verbs

Reflexive verbs have a word for 'self' in them, although this is not always used in the English equivalent.

sich *duschen* – to have a shower

ich dusche ***mich*** I have a shower (I shower **myself**)
du duschst ***dich*** you have a shower (you shower **yourself**)
er/sie duscht ***sich*** he/she has a shower (he/she showers **himself/herself**)

The reflexive pronouns (*mich, dich, sich*) usually go immediately after the verb.

Du ***duschst dich*** *jeden Tag.* You have a shower every day.
In questions and sentences where the subject is after the verb ('verb second' rule), the **reflexive pronoun** goes after the subject pronoun.

Um sechs Uhr dusche ich ***mich****.* At six o'clock I have a shower.
Duscht sie ***sich****?* Is she having a shower?

3 Complete each sentence with the correct reflexive pronoun. Translate the sentences into English.

1. Ich dusche .... jeden Tag.
2. Markus wäscht .... vor dem Frühstück.
3. Susi zieht .... jetzt an.
4. Wann ziehst du .... an?
5. Um sieben Uhr duscht er ....
6. Um wie viel Uhr wäschst du .... ?

The imperative

When using the imperative to give instructions, the verb changes depending on who is being spoken to:

	Go ...	Take ...
du (one young person)	*Geh ...!*	*Nimm ...!*
ihr (two young people)	*Geht ...!*	*Nehmt ...!*
Sie (one or more adults)	*Gehen Sie ...!*	*Nehmen Sie ...!*

The ***ihr*** and ***Sie*** forms are like the present tense of the verb – just leave out ***ihr*** and turn the ***Sie*** form round:

ihr geht ➜ *Geht!*   *Sie gehen* ➜ *Gehen Sie!*

The **du** form is usually the same as the present tense of the verb – just take off the **–st** at the end:

*du **sieh**st* ➜ *Sieh!*

Some irregular verbs change slightly in the imperative, e.g. ***fahren*** and ***tragen*** do not have an umlaut:

du fährst ➜ *Fahr!*

4 **Complete each sentence with the imperative form of the verb in brackets.**

Example: **1** Geh

Don't forget that the ***Sie*** form has two words!

1 (du) ______ nach rechts! (gehen)
2 (ihr) ______ die erste Straße links! (nehmen)
3 (Sie) ______ geradeaus! (fahren)
4 (du) ______ Tischtennis! (spielen)
5 (ihr) ______ um 16:00 Uhr zurück! (kommen)
6 (du) ______ die Hausordnung! (lesen)
7 (du) ______ dein Frühstück! (essen)
8 (Sie) ______ nicht im Café! (bleiben)

Adjectival endings

When you use an adjective by itself (usually with the verb 'to be'), it does not need any extra endings:

*Die Fahrgeschäfte sind **toll**.*   *Der Umzug war sehr **lang**.*

However, when you use an adjective before a noun, it has a different ending for masculine, feminine, neuter and plural.

masculine *add –er*	feminine *add –e*	neuter *add –es*	plural *add –e*
*ein lang**er** Umzug*	*eine laut**e** Band*	*ein bunt**es** Kostüm*	*bunt**e** Fahnen*

When the masculine *ein* changes to *ein**en*** after verbs such as ***sehen***, ***haben***, ***tragen*** and ***es gibt/gab***, the adjective also adds **–*en***:

*Es gab ein**en** groß**en** Umzug.*   *Er trägt ein**en** traditionell**en** Hut.*

Adjectives before feminine, neuter and plural nouns stay the same.

Es gab eine tolle Band.   *Sie trägt ein buntes Kostüm und große Schuhe.*

5 **Choose the correct word to complete each sentence.**

Example: **1** schöner

1 Das ist ein ______ Umzug.
2 Lea trägt ein ______ Kostüm.
3 Wir haben eine ______ Lehrerin.
4 Ich esse einen ______ Kuchen.
5 Das war ein ______ Fest.
6 Es gibt ______ Bands auf dem Fest.

leckeren | tolle | schöner | strenge | traditionelles | fantastisches

In der Jugendherberge • In the youth hostel

die Hausordnung	*rules of the house*
Man muss vor 22:00 Uhr ins Bett gehen.	*You have to go to bed before ten o'clock.*
Man muss das Bett machen.	*You have to make the bed.*
Man muss das Zimmer sauber halten.	*You have to keep the room clean.*
Man muss vor acht Uhr aufstehen.	*You have to get up before eight o'clock.*
Man muss abwaschen.	*You have to wash up.*
Man darf nicht rauchen.	*You must not smoke.*
Man darf nicht im Zimmer essen.	*You must not eat in the room.*
Man darf keine laute Musik hören.	*You are not allowed to listen to loud music.*

Der Tagesablauf • Daily routine

Ich stehe auf.	*I get up.*
Ich wasche mich.	*I get washed.*
Ich dusche mich.	*I have a shower.*
Ich ziehe mich an.	*I get dressed.*
Ich frühstücke.	*I have breakfast.*
Ich gehe aus.	*I go out.*
Ich komme zurück.	*I come back.*
Ich esse zu Abend.	*I have dinner/the evening meal.*
Ich gehe ins Bett.	*I go to bed.*

Um wie viel Uhr? • At what time?

um ... Uhr	*at ... o'clock*
um fünf/zehn/zwanzig nach ...	*at five/ten/twenty past ...*
um fünfundzwanzig vor ...	*at twenty-five to ...*
um Viertel nach ...	*at quarter past ...*
um Viertel vor ...	*at quarter to ...*
um halb acht	*at half past seven*

Wie komme ich zum/zur ...? • How do I get to the ...?

Geh/Geht/Gehen Sie ...!	*Go ...!*
(nach) links	*(to the) left*
(nach) rechts	*(to the) right*
geradeaus	*straight on*
Nimm/Nehmt/Nehmen Sie ...!	*Take ...!*
die erste Straße links	*the first street on the left*
die zweite Straße rechts	*the second street on the right*
Geh an der Ampel links!	*Go left at the lights.*
Geh an der Kreuzung rechts!	*Go right at the crossroads.*
der Bahnhof	*station*
der Park	*park*
die Bushaltestelle	*bus stop*
die Kirche	*church*
das Schwimmbad	*swimming pool*
das Hallenbad	*indoor swimming pool*
das Museum	*museum*
der Markt	*market(place)*
der Lehrer	*teacher (male)*
die Lehrerin	*teacher (female)*
das Souvenirgeschäft	*souvenir shop*
die Imbissstube	*snack bar*
das Eiscafé	*ice cream parlour*
vor dem/der ...	*in front of the ...*
Entschuldigung/Bitte, ...	*Excuse me, ...*
Danke (sehr/schön)./ Vielen Dank.	*Thank you very much.*
Bitte (sehr/schön). Nichts zu danken.	*You're welcome./ Don't mention it.*

Auf einem Fest • At a festival

der Umzug(¨-e)	*procession, parade*
der Festwagen(-)	*float (in a parade)*
die Band(s)	*band, group*
das Kostüm(e)	*costume, outfit*
der Hut(¨-e)	*hat*
die Fahne(n)	*flag*
die Kirmes(sen)	*funfair*
das Fahrgeschäft(e)	*ride (at funfair)*
der Imbiss(e)	*snack*
bunt	*colourful*
traditionell	*traditional*
der Trick(s)	*trick*
das Handy(s)	*mobile phone*
die Haare (pl)	*hair*
die Schuhe (pl)	*shoes*

Oft benutzte Wörter • High-frequency words

zu (zum/zur)	*to (to the)*
vor	*before, in front of*
groß	*big*
lang	*long*
laut	*loud*
lecker	*tasty*
schön	*nice, beautiful*
toll	*great*
Das macht Spaß.	*That's fun.*
Das hat Spaß gemacht.	*That was fun.*

Strategie 4

Improving your pronunciation

By now, you should have a good idea of how German words are pronounced, but it is always good to practise. The vowels often cause problems, especially when there are two together. Link the words to the key phonics you learned in *Stimmt! 1* and say them out loud.

au – *sauber* as in *Haus*

ei – *Klassenreise* as in ***Eis***

ie – *Viertel* as in *Biene*

eu – *Kreuzung* as in *Freund*

But note that ***Museum*** is a foreign word (from Latin) and the **e** and **u** are pronounced separately (like 'moo-zay-um').

Sometimes it's hard to recognise that a word is actually made up of two or more words joined together. Each part of the word is said separately. For example, by themselves ***gerade*** means 'straight' and ***aus*** means 'out'. Join them together and you have ***gerade|aus*** (straight on) – written as one word, but sounded as two.

Similarly, there's a triple **s** in ***Imbiss|stube*** – the double **s** belongs to ***Imbiss*** and the other **s** belongs to ***stube*** – so it is said as two words.

You will recognise some parts of compound words, but with some new words you'll just have to listen carefully and imitate the pronunciation.

Turn to page 132 to remind yourself of the five strategies you learned in *Stimmt! 1* and keep referring to the key sounds. In addition, many online dictionaries have an audio button where you can listen to the correct pronunciation of a word.

Komm nach Hamburg!

➤ *Learning about destinations for a class trip*
➤ *Using persuasive language*

1 Lies die Texte.

Besuchen Sie Hamburg – das Tor zur Welt!

Erleben Sie die Sehenswürdigkeiten!
Sehen Sie das Miniatur Wunderland!

Hallo Schüler/Schülerinnen der Klasse 8RM!

Willst du eine Klassenfahrt nach Hamburg machen? Möchtest du die Sehenswürdigkeiten besuchen? Willst du Deutsch sprechen?

Ja, natürlich willst du das!

Wir planen eine tolle Klassenfahrt nach Hamburg.

* Das wird viel Spaß machen.
* Das ist nicht sehr teuer.
* Du wirst viel Deutsch lernen.
* Du wirst deine Klassenkameraden besser kennenlernen.
* Und ... es gibt keine Eltern auf der Klassenreise!

Bei Interesse melde dich! Nimm einen Brief nach Hause mit!

Liebe Eltern!

Wir planen eine nützliche Klassenfahrt nach Hamburg.
Unterkunft ist in einer Jugendherberge.
Wir fahren mit dem Reisebus von Tür zu Tür.
Qualifizierte Lehrer sind immer da.
Die Fahrt ist relativ billig.
Und Sie profitieren auch: Sie haben eine ruhige Woche ohne Ihren Sohn/Ihre Tochter!

Ihr Sohn/Ihre Tochter wird ...
- viel Deutsch lernen
- in einer Jugendherberge wohnen
- gutes Essen bekommen
- mit einem Komfort-Reisebus fahren
- eine Woche lang nicht zu Hause sein!
- nur ein bisschen Taschengeld brauchen.

Kommen Sie zum Informationsabend!
Sehen Sie sich das Video an!
Hören Sie die Berichte vom letzten Jahr!

Mit freundlichen Grüßen,
Klasse 8RM

der Sohn = son
die Tochter = daughter

Wie war es letztes Jahr?

„Wir sind nach Hamburg gefahren. Das war super! Ich habe so viel Deutsch gelernt!" *Tom*

„Das hat so viel Spaß gemacht und ich habe jetzt sehr gute Noten in Deutsch." *Natasha*

„Die Lehrer waren fantastisch." *Laura*

„Total gut! Die Miniaturwelt war toll! Unglaublich!" *Sean*

„Die Schüler haben von der Reise enorm profitiert und sind jetzt so motiviert. Ich kann die Klassenfahrt wirklich empfehlen." *Herr Brown*

Lies die Texte noch mal. Wie heißt das auf Deutsch? Schreib es auf.

1 the gateway to the world
2 Experience the sights!
3 not very expensive
4 get to know your classmates better
5 Register your interest!
6 accommodation
7 relatively cheap
8 your son/daughter
9 for one whole week
10 a bit of pocket money
11 very good marks
12 I can really recommend the class trip.

The letter to the class is different from the letter to parents. Apart from using **du** in one and **Sie** in the other, the tone is different. The parents' letter is more formal and it emphasises different things.

Certain words and phrases add weight to your attempt to persuade. Parents like to hear ***nützlich***, ***qualifiziert***, ***billig***, ***viel lernen***, ***gute Noten***. The class are probably more interested in ***toll***, ***fantastisch***, ***viel Spaß***, ***keine Eltern***.

Think about the ways you can change the emphasis, for example by asking leading questions with ***Willst du …?/Möchtest du …?***

Remember the different forms of address for a young person (***du***) and for adults (***Sie***). This applies to the imperative as well as the present and past tenses of verbs. It also affects the words for 'your' – ***du*** needs ***dein(e)*** and ***Sie*** needs ***Ihr(e)***. And notice that *Ihr(e)* has a capital letter, like *Sie*.

Wähl ein Reiseziel für deine Klasse aus. Mach eine überzeugende Werbung für deine Klassenreise.

Choose a destination and create a persuasive advert for your class trip.

Kommen Sie nach Zürich!

Zürich

Es gibt hier so viel zu tun!

Alpamare – ein supergroßer Wasserpark!

Bergwerk Käpfnach – ein interessantes Bergbaumuseum

Familienparadies Atzmännig – Seilpark, Rodelbahn, Freizeitpark und Wanderparadies!

You could aim your persuasive advert at the class, the parents or both. Go to the tourism website for the place you choose and find out, for example, what other attractions there are and what time of year might be best.

Mode-Katastrophen!

1 Was passt zusammen? Finde die Paare.

1 Zungenpiercings
2 superweite Jeanshosen
3 Handtaschen-Hunde
4 Sandalen mit Socken
5 Stöckelschuhe
6 Weihnachtspullis

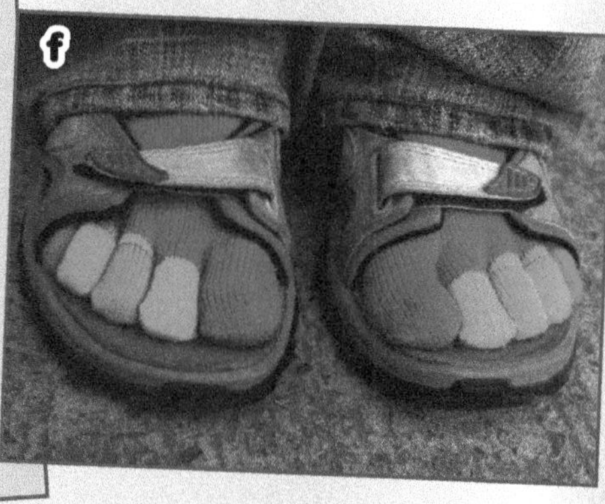

2  Gruppenarbeit. Was ist deiner Meinung nach die richtige Reihenfolge?

- *Meiner Meinung nach sind Sandalen mit Socken furchtbar!*
- *Ja, das stimmt! Und ...*

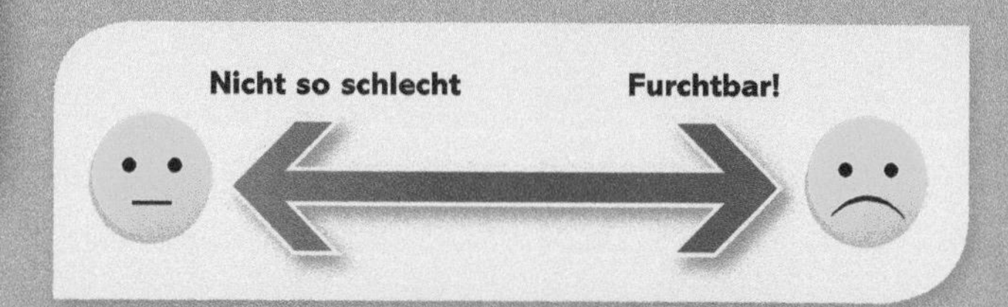

Traditionelle Mode

3 Das ist ...
a ein Dirndl
b ein Schottenrock

4 Das ist ...
a eine Jeanshose
b eine Lederhose

5 Das ist ...
a ein Schottenrock
b ein Hut

6 Lies die Kulturzone und übersetze sie ins Englische.

Kulturzone

Tracht im Trend

„Tracht" bedeutet traditionelle, regionale oder nationale Kleidung. **Dirndl** und **Lederhosen** sind Trachten aus Süddeutschland und Österreich. Sie sind heute wieder im Trend, auch bei jungen Leuten.

wieder im Trend = back in fashion

1 Ich mag meinen Stil!

➤ *Discussing clothes and style*
➤ *Using **wenn** clauses*

Hör zu. Was trägt man? Schreib die richtigen Buchstaben auf. (1–4)
Beispiel: **1** d, ...

a 
Sportschuhe

b 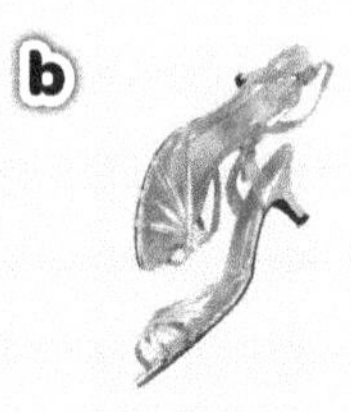
Sandalen

c 
ein Kleid

d 
eine Jeanshose

e 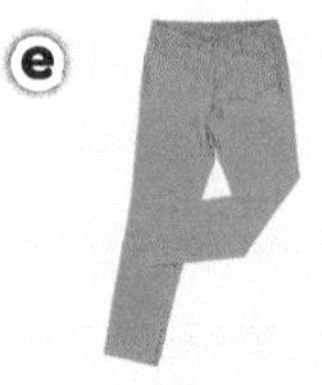
eine Hose

f 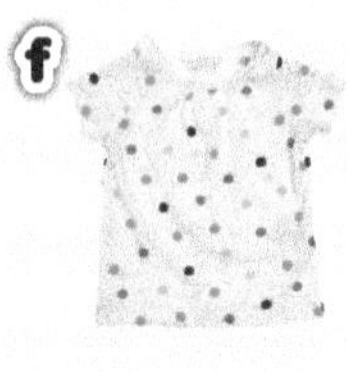
ein T-Shirt

g 
ein Mantel

h 
Stiefel

i 
ein Hemd

j 
ein Rock

k 
ein Kapuzenpulli

l 
ein Anzug

Hör zu und sieh dir die Bilder an.
Wer spricht? Wie ist sein Stil? (1–4)
Beispiel: **1** c – sporty

a 

b 

c 

d 

Wie ist dein Stil? | trendig | klassisch | lässig | sportlich

<table>
<tr><td rowspan="4">ich trage
du trägst
er/sie trägt
wir tragen
ihr tragt
Sie tragen
sie tragen</td><td>einen</td><td>schwarzen/roten</td><td>Rock/Mantel/Anzug/
Kapuzenpulli</td></tr>
<tr><td>eine</td><td>blaue/gelbe</td><td>Jeanshose/Hose</td></tr>
<tr><td>ein</td><td>braunes/grünes/
buntes</td><td>Kleid/Hemd/T-Shirt</td></tr>
<tr><td></td><td>graue/weiße/lila/
rosa</td><td>Schuhe/Stiefel/
Sandalen</td></tr>
</table>

Remember that **colours** follow the same pattern as other adjectives in sentences. The exceptions are ***lila*** (purple) and ***rosa*** (pink) because they don't ever change their spelling: ***meine lila Sandalen***.

Partnerarbeit. Mach Dialoge. Was trägst du? Wie ist dein Stil?
Beispiel:

- *Was trägst du normalerweise (in der Schule/auf Partys/am Wochenende)?*
- ...
- *Ist dein Stil (trendig)?*
- ...

Always repeat the speaking exercises to improve. Close your book and see if you can make your conversation more spontaneous.

Hör zu und lies. Welche Wörter fehlen?

einkaufen | Farben | trage | lila | kaufen | Kleidung | Wochenende | Kapuzenpulli | Hose

1 Hallo. Ich bin lustig, laut und ein bisschen frech. Mein Look ist auch frech! Wenn ich in die Schule gehe, ① ______ ich eine graue Uniform – ich hasse sie! Am liebsten trage ich Farben, wie rot, ② ______ und gelb. Meine Lieblingshose ist eine weite, rot und rosa gestreifte ③ ______, auch wenn sie total unmodisch ist. Meine Freunde sagen, ich sehe wie ein Clown aus, aber ich mag meinen Stil!

2 Tag! Ich bin der Sportfan in meiner Clique. Ich bin cool und locker und trage normalerweise lässige ④ ______ zum Beispiel, ein T-Shirt, einen ⑤ ______ und eine Sporthose. Wenn ich auf Partys bin, trage ich am liebsten einfache ⑥ ______ wie blau und schwarz. Letzte Woche war ich auf einer Party und ich habe eine dunkelblaue Jeanshose und ein langes, kariertes Hemd getragen. Ich mag keine eleganten Klamotten!

3 Ich habe sehr viele Kleider! Wenn ich in die Stadt gehe, gehe ich sehr gern ⑦ ______, denn ich will immer schick und im Trend sein. Letztes Wochenende habe ich einen kurzen, gepunkteten Rock gekauft – rosa mit hellblauen Punkten! Ich liebe Pastellfarben. Am ⑧ ______ trage ich oft meine superschmale Jeanshose. Wenn ich mehr Geld habe, werde ich neue Sandalen ⑨ ______.

kurz/lang = short/long
weit = wide-leg
schmal = slim-leg
superschmal = skinny
schick = smart
locker = casual
modisch = fashionable
unmodisch = unfashionable
altmodisch = old-fashioned

gepunktet **gestreift** **kariert**

Klamotten is a synonym for *Kleider* (clothes). Remember that *die Kleidung* means clothing, too.

Lies die Texte noch mal. Wer ist das?

a

b

c

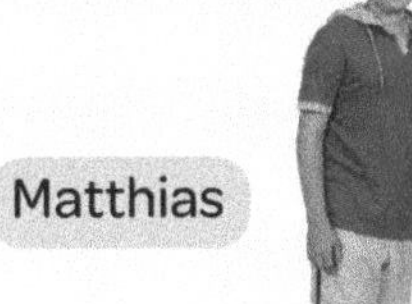

Nina | Marta | Matthias

Wie heißt das auf Deutsch? Schreib es auf. Sieh dir Aufgabe 4 als Hilfe an.

1 When I go to school, I see my friends.
2 When I have free time, I go into town.
3 When I'm at parties, I dance a lot.
4 When I go to town, I like to buy clothes.

Schreib über deinen Stil.

- Was sind deine Lieblingsklamotten?
- Wie ist dein Stil?
- Was trägst du, wenn du in die Schule gehst?
- Was trägst du, wenn du auf Partys gehst?
- Gehst du gern einkaufen?
- Was für Kleidung hast du neulich gekauft?

Grammatik

Page 112

wenn (when, whenever, if) sends the verb to the end of the sentence or clause, just like *weil*:

Wenn ich in die Schule *gehe*, ... When I go to school ...

If there is another verb later, it comes immediately afterwards:

*Wenn ich in die Schule **gehe**, **trage** ich eine Uniform.*
When I go to school I wear a uniform.

was für = what sort of

2 Mein erstes Date!

- Talking about plans for a date
- Using the future tense

Lies die Pläne und sieh dir die Bilder an.
Was passt zusammen? Finde die Paare.
Beispiel: **1** f

1 Ich werde Audrey abholen.

2 Ich werde genug Geld mitnehmen.

3 Wir werden ins Kino gehen.

4 Ich werde früh ankommen.

5 Ich werde die Karten im Voraus kaufen.

6 Wir werden essen gehen.

7 Wir werden zusammen mit dem Bus in die Stadt fahren.

8 Ich werde etwas Schickes anziehen.

9 Ich werde einen guten Film auswählen.

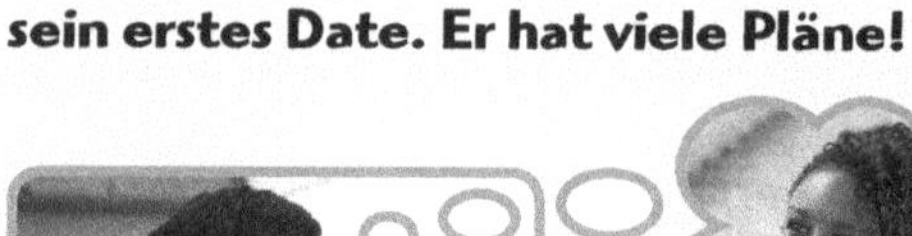

Mesut hat am Samstag ein Date – sein erstes Date. Er hat viele Pläne!

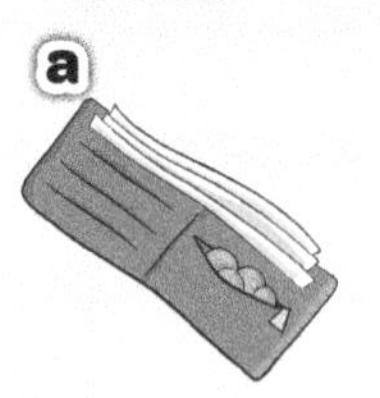

Hör zu. Sieh dir die Pläne noch mal an. Was ist die richtige Reihenfolge?
Beispiel: 9, ...

Partnerarbeit. Mach das Buch zu. Wie viele Pläne kannst du sagen?

Grammatik

Page 113

To say what you **will do** in the future, use the verb ***werden*** and an infinitive verb.
The infinitive comes at the end of the sentence:

*Ich **werde** ins Kino **gehen**. I will go to the cinema.*

The verb ***werden*** is irregular in several forms. Which are they?

ich werde	*I will*
du wirst	*you will (familiar, singular)*
er/sie/es wird	*he/she/it will*

wir werden	*we will*
ihr werdet	*you will (familiar, plural)*
Sie werden	*you will (polite singular or plural)*
sie werden	*they will*

Füll die Lücken mit der richtigen Form von *werden* aus.

1 Ich _______ am Wochenende ausgehen.
2 Er _______ einen guten Film auswählen.
3 David und seine Schwester _______ mit dem Bus fahren.
4 Nächsten Samstag _______ wir ins Restaurant gehen.
5 Marlene _______ um zehn Uhr nach Hause kommen.
6 Meine Familie und ich _______ ins Kino gehen.

Grammatik

Page 113

If a sentence has information about **Time** (*wann?*), **Manner** (*wie?*) and **Place** (*wo?*), it goes in this order:

Time **Manner** **Place**

Mesut geht ***am Samstag mit Audrey ins Kino.***

Mesut is going on Saturday with Audrey to the cinema.

Use the same word order in the future tense:

Mesut wird ***am Samstag mit Audrey ins Kino*** *gehen.*

Mesut will go on Saturday with Audrey to the cinema.

Wie heißt das auf Deutsch? Schreib es auf.

1 They go by bus at the weekend.
2 We see a film every week.
3 He goes to town with Miriam.
4 I go to Madrid in the summer.
5 We will go to London by bike in July.
6 She will go to Germany next weekend by train.

Remember that ***gehen*** is 'to go' but use ***fahren*** when you mean 'to travel', e.g. by bus, to Germany or to London. Use ***nach*** for 'to' with countries and cities.

Hör dir die kurze Nachricht an und mach Notizen.

- Wann?
- Wohin?
- Wie?
- Kleidung?
- Um wie viel Uhr?
- Nach Hause – wann?

Schreib passende Pläne für jede Situation auf.

Write plans for what you will do in each situation.

Beispiel: **1** Ich werde mit Freunden tanzen.

1 Ich gehe auf eine Party.
2 Ich gehe wandern.
3 Wir fahren am Wochenende mit dem Zug nach London.
4 Wir gehen ins Kino.
5 Wir treffen uns um acht Uhr.
6 Wir gehen in die Stadt.

Partnerarbeit. Du hast am Wochenende ein Date. Sag deinem Partner/deiner Partnerin deine Pläne.

Beispiel:

- *Ich werde ... gehen. Ich werde ...*

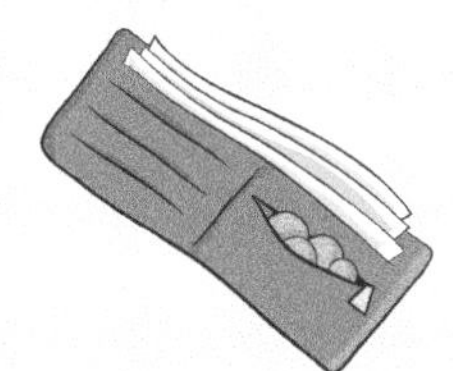

3 Ich mache mich fertig

- Talking about getting ready to go out
- Asking questions using a variety of verbs

Lies die Sätze und sieh dir die Bilder an. Was passt zusammen? Finde die Paare.
Beispiel: **1** e

1 Ich style mir die Haare.
2 Ich mache mir die Haare.
3 Ich ziehe mich an.
4 Ich schminke mich.
5 Ich putze mir die Zähne.
6 Ich benutze ein Deo.
7 Ich wähle meine Kleider aus.
8 Ich sehe mich im Spiegel an.

a 
b 
c 
d 
e 
f 
g 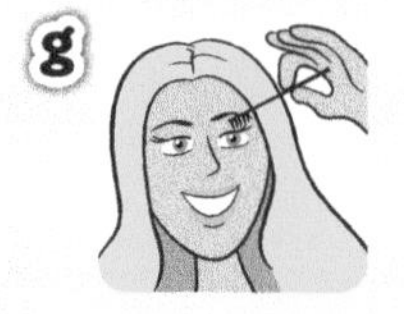
h 

! ***Ich mache mir die Haare*** means 'I do my hair' (with a brush/comb). ***Ich style mir die Haare*** is more specific and refers to styling your hair with gel (***mit Gel***) or with straighteners (***mit Glättstab***).

These two expressions use reflexive pronouns with parts of the body and need ***mir*** instead of ***mich***. The same applies for *ich putze **mir** die Zähne* (I clean my teeth).

Hör zu und überprüfe.

Hör zu. Sieh dir die Bilder in Aufgabe 1 an. Wer macht was? Schreib die Tabelle ab und füll sie aus. (1–4)

1	Leonie	b, ...
2	Markus	
3	Annika	
4	Patrick	

Grammatik

Yes/no questions – simply swap the verb and subject round:
Du benutzt ein Deo ➜ *Benutzt du ein Deo?* (Do you put deodorant on?)

Separable verbs (e.g. *auswählen*): *Du wählst deine Kleider **aus**.* ➜ *Wählst du deine Keider **aus**?* (Do you choose your clothes?)

Reflexive verbs – remember to change **mich** to **dich** and ***mir*** to ***dir***:
*Du schminkst **dich**.* ➜ *Schminkst du **dich**?* (Do you put on make-up?)
*Du putzt **dir** die Zähne.* ➜ *Putzt du **dir** die Zähne?* (Do you clean your teeth?)

Schreib Fragen in der du-Form auf.
Beispiel: **1** Stylst du dir die Haare?

1 Ich style mir die Haare.
2 Ich benutze ein Deo.
3 Ich putze mir die Zähne.
4 Ich wähle meine Kleider aus.
5 Ich schminke mich.
6 Ich mache mir die Haare.

Partnerarbeit. Mach einen Dialog.

- ●  ?
- ■ ✗  ?
- ● ✔✔ *Und du?*

- ■ ~ ?
- ● ✔✔ ?
- ■ ✔✔

✔✔	Ja, immer.
~	Manchmal.
✗	Nein, nie.

Audrey macht sich fertig. Lies den Chat. Sind die Sätze richtig oder falsch?

Beispiel: **1** richtig

1 Audrey geht heute Abend in die Stadt.
2 Sie ist letzte Woche ins Kino gegangen.
3 Audrey trägt ein graues T-Shirt.
4 Sie trägt schwarze Stiefel.
5 Sie wird sich schminken.
6 Nach dem Film geht Audrey auf eine Party.

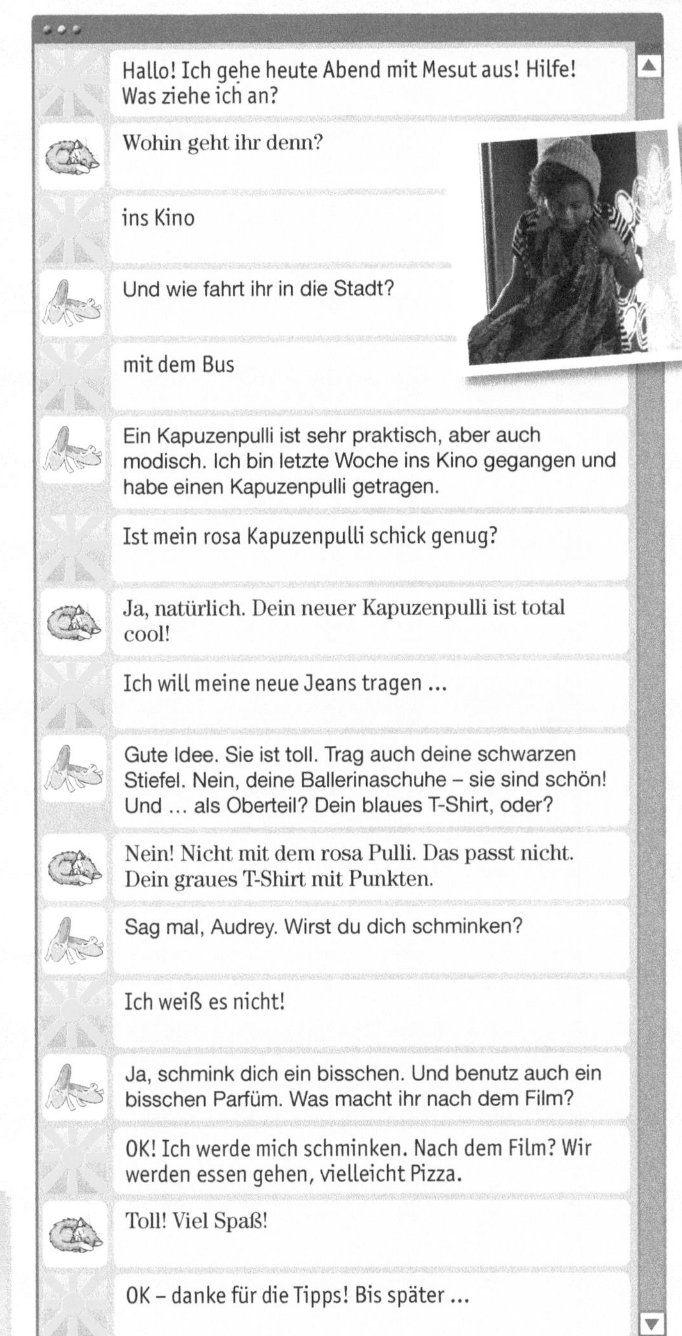

Lies den Chat noch mal und beantworte die Fragen auf Englisch.

1 Why does think a hoodie is a good idea?
2 What has made her think this?
3 What footwear does finally suggest?
4 What does say about the blue T-shirt?
5 Apart from make-up, what does advise Audrey to put on?
6 What does wish Audrey at the end of the chat?

genug = enough
das Oberteil = top
Das passt nicht. = That doesn't go.

Partnerarbeit. Telefoniere mit deinem Partner/deiner Partnerin. Er/Sie hat ein Date. Gib Tipps. Dann tauscht die Rollen.

Pair work. Phone your partner. He/She has a date. Give advice. Then swap roles.

Beispiel:

- *Hilfe! Ich gehe heute Abend mit ... aus! ...*

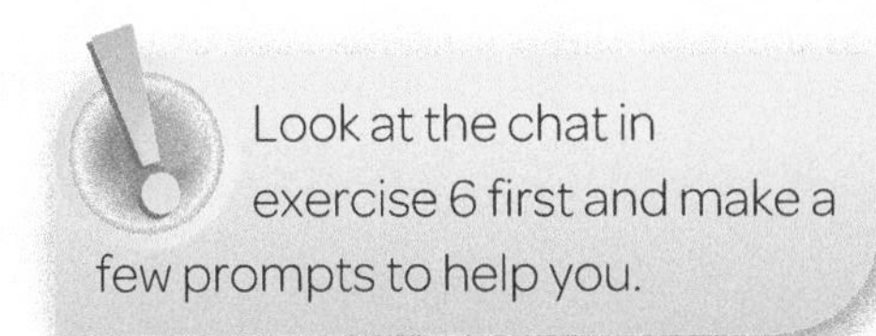

Was machst du normalerweise vor einem Date?

What do you usually do before a date?

Plan your writing. Use mainly the present tense, but also try to include details in the past and future, by referring to a previous date or looking forward to the next one.

4 Wie war's?

- Talking about how the date went
- Using past, present and future tenses

Lies das Tagebuch von Mesut und sieh dir die Bilder an. Was ist die richtige Reihenfolge?
Beispiel: c, ...

Samstag, den 14. Februar

Mein erstes Date war toll! Zuerst habe ich Audrey von zu Hause abgeholt. Ich war sehr pünktlich, aber sie war noch nicht fertig! Dann sind wir mit dem Bus in die Stadt gefahren. Die Busfahrt war superschnell, weil wir die ganze Zeit über Fußball geredet haben. Audrey mag Fußball. Das ist fantastisch!

Dann sind wir direkt ins Kino gegangen. Ich habe die Karten im Voraus gekauft, also gab es keine Schlange für uns! Der Film ist mein neuer Lieblingsfilm, weil die Effekte so beeindruckend waren. Ich finde Actionfilme so toll und Audrey mag sie auch.

Mein Plan war, nach dem Film in ein Restaurant zu gehen, aber wir sind auf eine Party gegangen. Audrey hat sehr viel getanzt. Ich kann nicht so gut tanzen, also habe ich mit David Billard gespielt. Es war sehr lustig! Das nächste Mal werden wir vielleicht zur Kegelbahn und danach ins Eiscafé gehen.

Ich freue mich auf mein zweites Date!

reden, hat geredet = talk, talked
die Schlange = queue
das nächste Mal = the next time
ich freue mich auf = I'm looking forward to

a 

b 

c 

d 

e 

f 

g 

Lies das Tagebuch noch mal und beantworte die Fragen auf Englisch.

1 Why did the bus journey go quickly?
2 Why was there no queue for tickets?
3 Why was the film so good? (2 things)
4 How was Mesut's plan for after the film different from what they actually did?
5 What happened at the party? (2 things)
6 What are Mesut's plans for a second date? (2 things)

Partnerarbeit. Lies das Tagebuch in Aufgabe 1 noch mal. Dann mach das Buch zu. Du bist Mesut. Beantworte die Fragen auf Deutsch. Dann tauscht die Rollen.
Beispiel: **1**

- *Wie war dein erstes Date?*
- *Mein erstes Date war toll!*

1 Wie war dein erstes Date?
2 Was hast du zuerst gemacht?
3 Wie bist du in die Stadt gefahren?
4 Was hast du im Bus gemacht?
5 Wie hast du den Film gefunden?
6 Was hat Audrey auf der Party gemacht?
7 Warum hast du nicht getanzt?
8 Was wirst du beim zweiten Date machen?

Hör zu und lies. Wie war's für Audrey? Mach Notizen auf Englisch.

- When Mesut arrived
- Bus journey
- Film
- Party
- Next date?

Audrey: Hallo, Ciara. Audrey.
Ciara: Audrey! Wie war es mit Mesut?
Audrey: Eine Katastrophe! Er hat mich von zu Hause abgeholt, aber er ist zu früh gekommen und ich war nicht fertig! So ein Stress!
Ciara: Und dann?
Audrey: Dann hat er im Bus die ganze Zeit nur über Fußball geredet! Ich finde Fußball nicht schlecht, aber das war zu viel!
Ciara: Und was habt ihr dann gemacht?
Audrey: Wir sind ins Kino gegangen. Mesut hat die Karten im Voraus gekauft – das war gut.
Ciara: Und wie war's im Kino? Wie hast du den Film gefunden?
Audrey: Ich mag lieber Dramen oder Liebeskomödien. Ich habe den Film ein bisschen zu gewalttätig gefunden, und er war sehr lang – über zwei Stunden!
Ciara: Na ja. Was habt ihr nach dem Film gemacht?
Audrey: Wir sind auf Susis Party gegangen – es war ihr Geburtstag. Das war viel besser. Ich habe viel getanzt und die Musik war toll.
Ciara: Hat Mesut getanzt?
Audrey: Nein, er hat mit David Billard gespielt!
Ciara: Also, wirst du noch mal mit ihm ausgehen?
Audrey: Ja, natürlich. Er ist sehr lieb! Ich hoffe, wir werden einkaufen gehen und dann vielleicht Pizza essen …

gewalttätig = violent
lieb = nice

Grammatik

Ask questions in the past and future by swapping the verb and subject, just as in the present tense:

Du spielst. ➜ ***Spielst du?*** You play. ➜ Do you play?

Du hast *gespielt.* ➜ ***Hast du*** *gespielt?* You played. ➜ Did you play?

Du wirst *spielen.* ➜ ***Wirst du*** *spielen?* You will play. ➜ Will you play?

The same rule applies if you start with a question word:

Wie ***bist du*** *in die Stadt gefahren?* How did you travel to town?

Was ***wirst du*** *am Samstag machen?* What will you do on Saturday?

Was ist die richtige Reihenfolge? Schreib die Fragen auf.

1 du getanzt hast ?
2 den hast wie Film gefunden du ?
3 in die gefahren bist Stadt du wie ?
4 hast gemacht dann was du ?
5 machen was du wirst ?
6 du ihn sehen wirst noch mal ?

Gruppenarbeit. Stell und beantworte Fragen über das Date/den Abend.

Du bist ausgegangen. Es war ein Date/ein Abend mit Freunden/Freundinnen. Schreib dein Tagebuch auf.

- What?
- When?
- How was it?

Speaking Skills

5 Pro und kontra

➤ Talking about uniforms
➤ Preparing for a debate

Partnerarbeit. Wie findest du die Schuluniform? Deine Antwort muss genau neun Wörter haben.

Beispiel:

- *Wie findest du die Schuluniform?*
- *Ich finde die Schuluniform (ziemlich langweilig aber auch praktisch).*

> Look back through the chapter for adjectives you can use.

Gruppenarbeit. Besprich die Schuluniformen in den Fotos. Wie findest du sie?

Beispiel:

- *Wie findest du die Schuluniform in Foto (A)?*
- *Ich finde die Uniform in Foto (A) (ziemlich traditionell). Was denkst du?*
- *Ja, ich auch.*
- *Ja, aber sie ist auch (schick).*
- *Was! Du spinnst! Sie ist (total altmodisch).*

> In a debate, ask questions to keep the discussion going. To ask for an opinion, use ***Was denkst du?*** and to ask for a reason, use ***Warum sagst du, …?*** (Why do you say …?)

Übereinstimmung ✓	Nichtübereinstimmung ✗
Ja, das stimmt!	Nein, das stimmt nicht!
Ja, ich auch!	Quatsch!
Du hast recht!	Du spinnst!

a

b

c

d

e

f

Hör zu und lies. Identifiziere fünf Vorteile der Schulkleidung. Schreib sie auf Deutsch und Englisch auf.

Listen and read. Identify five advantages of school clothes. Write them in German and English.

***Beispiel:* 1** der Markenzwang ist stark reduziert = the pressure to have branded clothing is reduced

Kulturzone

In Deutschland gab es niemals Schuluniformen. Jetzt gibt es an der Lessing Stadtteilschule in Hamburg Schulkleidung. Schulkleidung war die Idee von Lehrerin Karin Brose. Im Jahre 2000 hat Frau Brose den einheitlichen Look in ihrer Schule eingeführt.

Interviewer: Frau Brose, wie sieht Ihre Schulkleidung aus?

Frau Brose: Die Farben sind dunkelblau und weiß. Alle Schüler tragen blaue Pullis oder Sweatshirts, blaue oder weiße T-Shirts oder Polohemden mit dem Schullogo. Wir haben nur Oberteile. Die Schüler können sich das Unterteil selbst auswählen, also eine Jeanshose, eine Sporthose oder einen Rock.

Interviewer: Und warum der einheitliche Look?

Frau Brose: Erstens ist der Markenzwang stark reduziert – das ist wichtig. Zweitens ist die Identifikation mit der Schule viel besser. Drittens gibt es keine bauchfreien Tops oder ultrakurzen Miniröcke mehr und wir sehen die Piercings nicht mehr!

Interviewer: Und was haben die Eltern gesagt?

Frau Brose: Am Anfang waren sie skeptisch, aber jetzt finden die Eltern die Schulkleidung sehr positiv. Die Disziplin in der Schule ist jetzt besser, und das ist gut.

Interviewer: Und für die Schüler? Ist es eine Freiheitsbeschränkung?

Frau Brose: Nein. Die Schüler sagen, dass sie mit Schulkleidung besser lernen können.

einheitlich = uniform/standardised
bauchfrei = cropped
eine Freiheitsbeschränkung = a restriction of freedom

Lies den Chat. Diese Personen haben nach dem Radiointerview in Aufgabe 3 getwittert. Sind die Meinungen pro oder kontra? Schreib P oder K auf.

Beispiel: **1** P

	**1** Es gibt morgens weniger Stress. Man muss sich nicht fragen „Was ziehe ich heute an?"
	**2** Ich habe vier Jahre Uniform getragen; es war sehr langweilig.
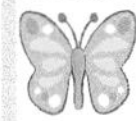	**3** Man kann keinen eigenen Stil haben!
	**4** Schuluniformen sehen schlecht aus!
	**5** Schuluniformen können auch gut aussehen!
	**6** Es gibt weniger Mobbing, wenn alle eine Uniform tragen.
	**7** Mein Stil ist mir wichtig.
	**8** Uniform ist nur für das Militär!
	**9** Die Schule ist kein Musikvideo …
	**10** Der einheitliche Look ist nicht cool, sondern monoton.
	**11** Schuluniformen sind teuer.
	**12** Der einheitliche Look bedeutet eine bessere Identifikation mit der Schule.

Kulturzone

Nur wenige Schulen in Deutschland haben Schulkleidung. In Großbritannien ist eine Schuluniform in den meisten Schulen obligatorisch. Über 80 % der Eltern in England sind für eine Schuluniform.

Prepare for a debate by listing opinions and reasons. Your reasons can include examples, the opinions of others and statistics. What statistic could you use in favour of uniform from the ***Kulturzone***? Rehearse your strongest arguments before the debate and predict the counter-arguments.

das Mobbing = bullying

Schuluniformen – pro und kontra. Bereite dich auf eine Debatte vor. Schreib Vor- und Nachteile auf und gib Gründe dafür.

Viele/Einige Leute sagen, …	*Many/Some people say …*
Meiner Meinung nach …	*In my opinion …*
Erstens … zweitens … schließlich …	*Firstly … secondly … finally …*
Du hast gesagt …, aber ich denke …	*You said … but I think …*
Auf der einen Seite …, aber auf der anderen Seite …	*On the one hand … but on the other hand …*

Gruppenarbeit. Wähl eine Seite aus: Schuluniformen – pro oder kontra. Führ eine Debatte in deiner Gruppe.

Group work. Choose a side: school uniforms – for or against. Hold a debate in your group.

Beispiel:

- *Meiner Meinung nach sind Schuluniformen sehr langweilig.*
- *Du hast gesagt, Schuluniformen sind langweilig, aber ich denke, Uniformen sind schick.*
- …

To respond to what others say, repeat their arguments and then introduce your own opinion: ***Du hast gesagt …, aber ich denke …*** (You said … but I think …)

6 Extension
Öko-freundliche Mode für alle

- Researching Fairtrade labels
- Creating publicity material

Hör zu und lies die Startseite der Website.

A
Öko-Mode ist voll im Trend. Weltweit gibt es viele Hundert Öko-Modelabels. **Seigrün** ist ein kleines Label aus Hamburg.

B
Wir produzieren seit November 2009 T-Shirts. Wir waren zuerst ganz klein, mit einer Kollektion von 800 T-Shirts. Heute verkaufen wir mehr als 10.000 T-Shirts pro Jahr in unserem Online-Shop.

C
Die Weltressourcen sind knapp. Wir möchten eine faire, ökologische Textilproduktion. Das heißt:
- keine Kinderarbeit
- 100 % biologische Baumwolle
- keine Diskriminierung
- fairer Preis für faire Arbeit.

Selina

D
Die T-Shirts kommen aus Kenia und sind 100 % Bio-Baumwolle. In Hamburg drucken wir alle T-Shirts per Hand, um die Designs individuell zu machen.

E
Wir werden nächstes Jahr eine neue Kollektion mit Sweatshirts, Kapuzenpullis, Sporthosen und Accessoires haben.

F
Fair-Trade und Mode sind heute möglich. Junge Leute kaufen **Seigrün**, um die Umwelt zu schützen. Unsere klassische Mode ist schick und modisch. **Seigrün** heißt Öko-faire Mode für alle!

seit = since
verkaufen = to sell
drucken = to print
möglich = possible
die Umwelt = environment
schützen = to protect

Lies den Text in Aufgabe 1 noch mal. Welcher Absatz ist das?
Beispiel: **1** C

1 Seigrün's philosophy
2 How Seigrün has grown
3 Next steps for Seigrün
4 The T-shirt designs
5 The Seigrün label
6 Organic and fashionable

Lies den Text in Aufgabe 1 noch mal. Wie heißt das auf Deutsch? Schreib es auf.

1 eco-fashion
2 world-wide
3 scarce
4 child labour
5 organic
6 cotton
7 classic fashion
8 for everyone

Lies den Text in Aufgabe 1 noch mal. Wie heißt das auf Deutsch? Schreib es auf.

1 Eco-fashion is very trendy.
2 We have been producing T-shirts since November 2009.
3 We were very small.
4 We would like ...
5 ... in order to make the designs individual.
6 ... in order to protect the environment.

Grammatik

The expression ***um ... zu*** (in order to) is used with an infinitive, as in English.
Put a comma just before ***um***:
Wir kaufen Fair-Trade, ***um*** *die Umwelt* ***zu*** *schützen.* We buy Fairtrade, in order to protect the environment.

In German you use the present tense with ***seit*** to mean 'since' or 'for'.
Wir verkaufen *seit 1970 Schuhe.* **We have been selling** shoes since 1970.
Ich spiele *seit vier Jahren Tennis.* **I have been playing** tennis for four years.

Lies die zwei Texte über Öko-Modelabels. Schreib die Tabelle ab und füll sie auf Englisch aus.

	Company name	Slogan/Sales pitch	When and where founded	Products	Future plans
1					

Happystoff

Faire Bio-Kleidung für alle!

Happystoff ist ein kleines Label aus Stuttgart – die Idee von Designerin Steffi Seinfeld. Das Label produziert seit 2006 Bio-Kleidung.

Wir haben T-Shirts und Hemden und wir garantieren:
- 100 % biologische Baumwolle
- keine Kinderarbeit
- umweltfreundliche Produktion.

Die neue Kollektion wird viele neue Designs und mehr Farben haben.

Grüne Güte

Bio-Mode ist die beste Mode!

Grüne Güte ist ein neues Öko-Modelabel aus Leipzig. Modedesigner Max Ferndt hat letztes Jahr das Label gestartet. Max sagt:

„Wir sind bekannt für interessante Designs und superschöne Farben. In der Kollektion haben wir tolle Kapuzenpullis für Männer und Frauen."

Der Plan für nächstes Jahr?

„Wir werden eine neue Kinderkollektion mit T-Shirts und Kapuzenpullis haben."

Partnerarbeit. Du gründest ein neues Öko-Modelabel. Schreib den Text für die Startseite deiner Website auf. Benutz die Kategorien aus Aufgabe 5.

Pair work. You are creating a new eco-fashion label. Write a text for the website. Use the categories from exercise 5.

Your homepage text needs to sell your brand, so include a catchy slogan and lots of adjectives. Don't forget to include the history of your label and your plans for its future.

Lernzieltest

I can...

	I can...	
1	● discuss my style	Ist dein Stil sportlich? Nein, mein Stil ist trendig!
	● describe and answer questions about what I wear	Was trägst du? Ich trage eine blaue Hose und ein rotes Hemd.
	■ use adjectives before nouns with correct endings	Ich trage einen lang**en** Mantel, eine schmal**e** Jeanshose und ein gestreift**es** Hemd.
	■ say what I wear on different occasions, using ***wenn***	**Wenn** ich auf Partys **gehe, trage** ich schicke Kleider.
2	● talk about my plans for a date	Ich werde früh ankommen.
	■ say what I and others will do, using the **future tense**	**Ich werde** genug Geld **mitnehmen**. **Wir werden** ins Kino **gehen**.
	■ organise the details in a sentence using the ***wann – wie – wo*** rule	Wir werden am Samstag mit dem Bus in die Stadt fahren.
3	● say how I get ready to go out	Ich ziehe mich an. Ich style mir die Haare.
	■ ask questions using a variety of verbs	Benutzt du ein Deo? Schminkst du dich?
4	● say what I and others did and how it went	Wir sind in die Stadt gefahren. Mein Date war toll!
	■ ask questions using present, past and future tenses	Wie **findest** du Lukas? **Hast** du **getanzt**? Was **wirst** du am Samstag **machen**?
5	ask spontaneous questions to keep the discussion going	Wie findest du die Schuluniform? Was denkst du? Warum sagst du, die Schuluniform ist positiv?
	prepare for a debate by collecting opinions and reasons to support my view	Meiner Meinung nach ist der einheitliche Look nicht cool!
	balance different points of view in a debate	Du hast gesagt, die Uniform ist gut, aber ich denke, sie ist schlecht. Auf der einen Seite ist die Uniform langweilig, aber auf der anderen Seite ist sie einfach.
6	understand the gist and detail of an authentic text about Fairtrade clothing	Die Öko-Mode liegt voll im Trend.
	adapt a model to produce a creative advertising text	Wir verkaufen T-Shirts und Kapuzenpullis.

Wiederholung

Jens macht sich für ein Date fertig. Seine Schwester gibt Tipps. Hör zu und mach Notizen auf Englisch.

Before going out, Jens is going to ...	*Tonight Jens is going to wear ...*
1	1
2	2
3	3
4	4

Partnerarbeit. Wähl ein Bild aus (a–c). Stell Fragen im Präsens, in der Vergangenheit oder im Futur.

Pair work. Choose a picture. Ask questions in the present, the past and the future.

Beispiel: (a)

- *Wann spielst du Fußball?*
- *Ich spiele jeden Samstag Fußball. Ich mag Fußball. Und du?*

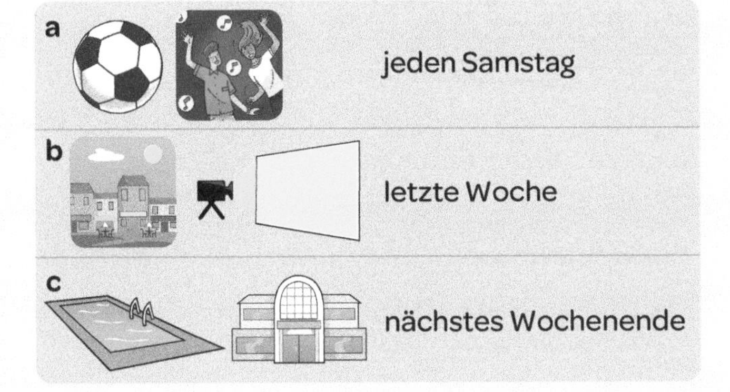

Respond to your partner's question, adding as many details to your answer as you can. Then extend the conversation by asking ***Und du?***

Lies die E-Mail. Ist das im Präsens, in der Vergangenheit oder im Futur? Schreib die Tabelle ab und kreuz die richtigen Kästchen an.

	Präsens	*Vergangenheit*	*Futur*
Sporthose	X		
blaue Sportschuhe			
Restaurant			
klassische Kleider			
neue Jeans			
Party			

Lieber Ben,

du fragst nach meinem Stil. Also, mein Stil ist ziemlich locker. Am Wochenende trage ich normalerweise eine Sporthose und Sportschuhe. Nächstes Wochenende werde ich neue blaue Sportschuhe kaufen, weil meine alten Sportschuhe kaputt sind.

Mein erstes Date mit Stephanie war toll! Wir sind ins Restaurant gegangen. Ich trage nie klassische Klamotten, also habe ich meine neue Jeanshose getragen. Ich werde am Wochenende auf eine Party gehen. Und du? Was machst du am Wochenende?

LG

Jan

Schreib an Jan. Sag ihm, was du am Wochenende machst.

Write to Jan. Tell him what you do at the weekend.

Beispiel:

Lieber Jan,

du fragst nach meinem Wochenende. Also ...

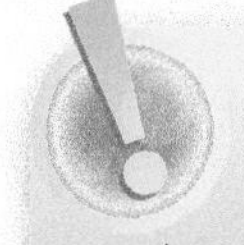

Include details about a previous weekend as well as your plans for next weekend.

Grammatik

Adjective endings after 'a/an'

An adjective takes an ending in German when it is used in front of a noun.

When the indefinite article ***ein(e)*** is used, the adjective takes these endings:

	m	*f*	*nt*	*pl*
Nominative (*when the noun is the subject of the sentence*)	*ein rot**er** Rock*	*eine rot**e** Hose*	*ein rot**es** T-Shirt*	*rot**e** Schuhe*
Accusative (*when the noun is the object of the sentence*)	*einen rot**en** Rock*	*eine rot**e** Hose*	*ein rot**es** T-Shirt*	*rot**e** Schuhe*

1 Choose the correct adjective ending and write out each sentence.

All the adjectives here are in the accusative.

1. Im Winter trage ich gern einen **lange / langes / langen** Mantel.
2. In der Schule tragen wir **schwarze / schwarzen / schwarzes** Schuhe.
3. Ich habe letzte Woche eine **tollen / tolle / toll** Jeanshose gekauft.
4. Auf der Party hat sie ein **bunten / bunte / buntes** Kleid getragen.
5. Wir werden nächstes Wochenende einen **lustigen / lustige / lustiges** Film sehen.
6. Ich habe ein **interessanten / interessantes / interessante** Buch gelesen.

Word order with *wenn*

After ***wenn*** (and also ***weil***), the verb goes to the end of the sentence or clause.

There is always a comma before ***wenn*** and ***weil***:

*Ich trage einen Mantel, **wenn** es kalt **ist**.* I wear a coat when it is cold.

If the ***wenn*** clause starts the sentence, the second clause starts with the verb, and the result is a 'verb, verb sandwich':

***Wenn** es kalt **ist, trage** ich einen Mantel.* When it is cold I wear a coat.

2 Join the sentence pairs and translate them into German, using ***wenn*** to start each sentence.

***Beispiel:* 1** Wenn ich auf Partys gehe, sehe ich meine Freunde.

1. I go to parties. I see my friends.
2. It is hot. I go swimming.
3. I go shopping. I like to buy clothes.
4. I am at home. I listen to music.
5. I have free time. I play computer games.
6. It is cold. I go to the cinema.

3 Complete each sentence and translate it into English.

1. Wenn ich in die Schule gehe, ...
2. Wenn ich in die Stadt gehe, ...
3. Wenn ich ins Restaurant gehe, ...
4. Wenn ich ausgehe, ...
5. Wenn es regnet, ...
6. Wenn ich ins Kino gehe, ...

Using *werden* to form the future tense

To say what you **will do** in the future, use the verb ***werden*** and an infinitive verb. The infinitive comes at the end of the sentence. The verb ***werden*** is irregular in several forms.

ich	*werde*	I will	*wir*	*werden*	we will
du	***wirst***	you will (familiar, singular)	*ihr*	***werdet***	you will (familiar, plural)
er/sie/es	***wird***	he/she/it will	*Sie*	*werden*	you will (polite)
			sie	*werden*	they will

4 Write out each sentence with the correct form of *werden*.

1. Wir ______ am Wochenende ins Kino gehen.
2. Ich ______ eine Komödie sehen.
3. Meine Eltern ______ ins Restaurant gehen.
4. ______ du auch ausgehen?
5. Timo ______ spät nach Hause kommen.
6. Meine Freunde und ich ______ auf einer Party gehen.

5 **Jana is going on a date. What are her plans? Translate her diary into English.**

Ich werde am Freitag mein erstes Date mit Martin haben. Wir werden ins Kino gehen. Ich werde den Film auswählen und Martin wird die Karten im Voraus kaufen. Martin wird mich um sechs Uhr von zu Hause abholen. Ich hoffe, er wird nicht zu früh ankommen. Ich werde etwas Schickes anziehen, vielleicht meine neue Jeanshose und meinen roten Mantel. Wir werden mit dem Bus in die Stadt fahren und wir werden nach dem Film essen gehen. Meine Eltern werden uns von der Stadtmitte abholen.

Time – Manner – Place

In longer sentences, organise the details using the order wann (when) – wie (how) – wo (where).

wann wie wo

*Wir fahren **jeden Samstag mit dem Bus in die Stadt**.* We travel by bus to town every Saturday.

In English there is no rule for the order of the details in a sentence, but the time expression often comes at the end.

In future and past tenses, use the same order for the information:

*Wir werden **am Samstag mit dem Bus in die Stadt** fahren.* We will travel to town by bus on Saturday.

*Wir sind **am Samstag mit dem Bus in die Stadt** gefahren.* We travelled to town by bus on Saturday.

6 Write out these sentences with the details in the correct order.

1. Ich habe **mit meinen Freunden / im Café / am Samstag** Pizza gegessen.
2. Wir fahren **zur Schule / jeden Tag / mit dem Bus.**
3. Er wird **am Wochenende / ins Kino / mit Rebekka** gehen.
4. Jan hat **in der Disko / letztes Wochenende / mit seinen Freunden** getanzt.
5. Ich werde **nach London / mit dem Zug / oft** fahren.
6. Sie geht **mit ihrer Schwester / im Einkaufszentrum / jede Woche** einkaufen.

7 Translate these sentences into German.

1. I am going to go to town this weekend by bus.
2. I go to town every weekend with my friends.
3. We often go to the cinema.
4. Last Saturday I went to the swimming pool with Felix and Sara.
5. We ate at five o'clock with Jens in the café.
6. I am going to go to two parties next weekend with my brother.

Wörter

Kleider/Klamotten • Clothes

der Rock	*skirt*
der Mantel	*coat*
der Anzug	*suit*
der Kapuzenpulli	*hoodie*
die Jeanshose (die Jeans)	*jeans*
die Hose	*trousers*
das Kleid	*dress*
das Hemd	*shirt*
das T-Shirt	*T-shirt*
die Schuhe (pl)	*shoes*
die Stiefel (pl)	*boots*
die Sandalen (pl)	*sandals*

Wie ist es? • What is it like?

kurz	*short*
lang	*long*
weit	*wide-leg, baggy*
schmal	*slim-leg, skinny*
schick	*smart*
locker	*casual*
kariert	*checked*
gepunktet	*spotty*
gestreift	*stripy*

Was trägst du? • What do you wear/are you wearing?

Ich trage ...	*I wear/am wearing ...*
einen kurzen Rock	*a short skirt*
einen langen Mantel	*a long coat*
einen schicken Anzug	*a smart suit*
einen lockeren Kapuzenpulli	*a casual hoodie*
eine weite Hose	*a baggy pair of trousers*
eine schmale Jeanshose	*a pair of skinny jeans*
ein kariertes Hemd	*a checked shirt*
ein gepunktetes Kleid	*a spotty dress*
ein gestreiftes T-Shirt	*a stripy T-shirt*
schicke Stiefel	*smart boots*

Wie ist dein Stil? • What is your style?

lässig	*informal*
sportlich	*sporty*
trendig	*trendy*
klassisch	*classic*

Ein erstes Date • A first date

Was wirst du machen?	*What will you do?*
Ich werde ...	*I will ...*
die Karten im Voraus kaufen	*buy the tickets in advance*
einen guten Film auswählen	*choose a good film*
früh ankommen	*arrive early*
... abholen	*pick up ...*
etwas Schickes anziehen	*put on something smart*
genug Geld mitnehmen	*take enough money with me*
mit dem Bus in die Stadt fahren	*go by bus to town*
ins Kino gehen	*go to the cinema*
essen gehen	*go out to eat*

Ich mache mich fertig • I get myself ready

Ich style mir die Haare.	*I style my hair.*
Ich mache mir die Haare.	*I do my hair.*
Ich putze mir die Zähne.	*I clean my teeth.*
Ich schminke mich.	*I put make-up on.*
Ich ziehe mich an.	*I get dressed.*
Ich sehe mich im Spiegel an.	*I look at myself in the mirror.*
Ich benutze ein Deo.	*I put deodorant on.*
Ich wähle meine Kleider aus.	*I choose my clothes.*

Diskussion und Debatte

• Discussion and debate

Viele/Einige Leute sagen	*Many/Some people say*
Meiner Meinung nach	*In my opinion*
Erstens	*Firstly*
Zweitens	*Secondly*
Schließlich	*Finally*
Du hast gesagt ..., aber ich denke	*You said ..., but I think*
Auf der einen Seite	*On the one hand*
Auf der anderen Seite	*On the other hand*

Oft benutzte Wörter

• High-frequency words

wenn	*when (if)*
immer	*always*
zum Beispiel	*for example*
zuerst	*first of all*
seit	*since (for)*
für	*for*
möglich	*possible*
pro Jahr	*per year*
nächstes Jahr	*next year*
teuer	*expensive*
alle	*all/everyone*
um ... zu	*in order to*

Strategie 5

Aktiv lernen – online!

Learning is about doing. Try to memorise vocabulary actively and creatively by using some of these ideas.

- **Use an online app to record yourself saying the German words and their English meaning – use this to test yourself.**
- **Make some online flashcards and then play the games and activities created with them.**
- **Create word shapes with your vocabulary, like this one:**

elegant auch modisch locker bequem lässig sehr langweilig ziemlich gut praktisch traditionell unbequem zu formell altmodisch cool sportlich trendig schick teuer ein bisschen

Turn to page 132 to remind yourself of the five strategies you learned in *Stimmt! 1*.

adidas – früher und heute

➤ Learning about a famous German brand
➤ Preparing a short presentation

1 Lies die Sätze und sieh dir die Bilder an. Was passt zusammen?
Beispiel: **1** d

Adi Dassler, Schuhmacher und Gründer von *adidas*

1. Der Produktname kommt von seinem Vor- und Nachnamen.
2. Das Logo besteht aus drei Streifen.
3. *adidas* produziert die offiziellen Spielbälle aller Fußballweltmeisterschaften.
4. Viele Sportler tragen adidas Schuhe bei den Olympischen Spielen.
5. *adidas* ist jetzt eine Lieblingsmarke für viele, nicht nur für Sportler.

a

b

c

d

e
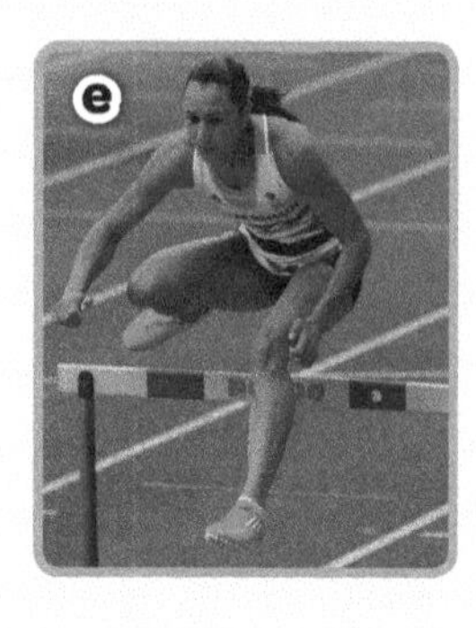

2 Lies den Text. Wie muss ein gutes Logo sein? Mach Notizen auf Englisch.

Wie muss ein gutes Logo sein?

- ✓ Das Logo muss einfach aber kreativ sein.
- ✓ Das Logo muss auch ohne Farbe wirken.
- ✓ Das Logo muss in allen Medien wirken, zum Beispiel auf Papier, auf einer Tasse, auf einem T-Shirt, im Internet.
- ✓ Das Logo muss groß und klein wirken.
- ✓ Das Logo muss eine neue Idee sein.
- ✓ Das Logo muss zu der Firma gut passen.

wirken = to be effective
die Firma = company
passen = to suit

3 Sieh dir Aufgabe 2 noch mal an. Benutz die Vokabeln von unten und schreib Sätze auf.
Beispiel: **1** Das Logo muss unkompliziert sein.

1 unkompliziert **2** schwarz-weiß **3** flexibel **4** in allen Größen **5** originell **6** passend

Größe(n) = size(s)
passend = suitable/appropriate

4 Gruppenarbeit. Welche Logos kennst du? Was ist dein Lieblingslogo? Warum ist es so effektiv?
Beispiel:

- ● *Ich mag das (...) Logo.*
- ■ *Warum?*
- ● *Weil es (sehr einfach) ist.*
- ◆ *Quatsch! Ich finde es (sehr positiv).*
- ▲ *Ja, du hast recht! Ich finde es auch (gut).*

5 Hör zu. Sieh dir die Wörter und Bilder an. Welche fünf Sportarten hörst du?
Beispiel: Leichtathletik, ...

Tischtennis

Fußball

Leichtathletik

Marathonlauf

Hochsprung

Boxen

Tennis

Hör noch mal zu. Sieh dir die Bilder an. Was ist die richtige Reihenfolge?
Beispiel: e, ...

a Tennisschuhe/ Tennisschläger

b Jesse Owens bei den Olympischen Spielen

c der Spielball

d Dick Fosbury – Hochspringer

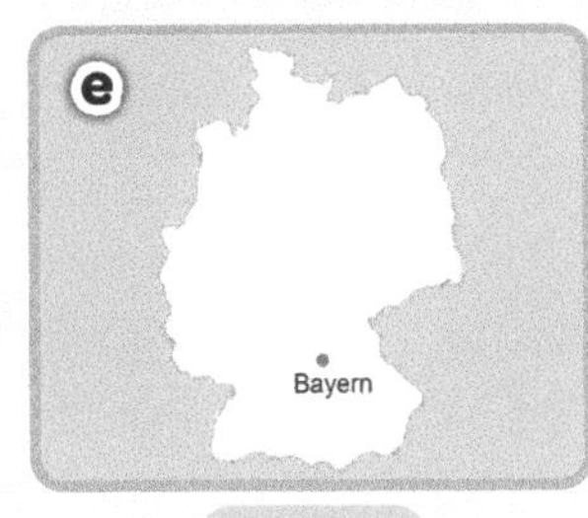

e Bayern

f Boxstiefel

g *adidas* Produkte

h die deutsche Fußballmannschaft 1954

i zweitgrößte Sportartikelfirma der Welt

Hör noch mal zu. Mach Notizen zu den Fragen.
Beispiel: Bayern, Süddeutschland

1 Wo hat Adi Dassler gewohnt?
2 Wann hat Adi die Schuhe für Jesse Owens gemacht?
3 Wie viele Goldmedaillen hat Jesse gewonnen?
4 Wer hat die Fußballweltmeisterschaft 1954 gewonnen?
5 Wie war das Wetter?
6 Für welche Sportarten hat Adi Schuhe gemacht (Leichtathletik, Fußball, ...)?

gewinnen, hat gewonnen = to win, won
nass = wet

Partnerarbeit. Besprich die Steckbriefe. Wie war *adidas* früher? Und heute?
Beispiel:

- *Früher war der Direktor Adi Dassler.*
- *Ja, aber jetzt ist der Direktor ...*
- *Jetzt gibt es 46.623 Mitarbeiter.*
- *Ja, aber früher ...*
- *Früher gab es nur adidas-Sportschuhe.*
- *Jetzt ...*

	Früher (1949)	Heute (2014)
Direktor	Adi Dassler	Herbert Hainer
Mitarbeiter(innen)	47	~ 47.000
Produkte	Sportschuhe	Sportschuhe, Socken, T-Shirts, Kapuzenjacken, Handschuhe, Sonnenbrillen, Taschen, Kappen, Fußbälle

Schreib eine kurze Präsentation über die Firma *adidas*.
Schreib über:

- das Logo
- die Geschichte
- *adidas* heute.

You already know a lot about *adidas* but you could do some more research online to add interest to your presentation.

Projektzone 2

Modenschau

- Preparing for a fashion show
- Giving a spontaneous spoken commentary

Mode-Quiz! Lies die Zitate und die Sätze (1–3). Was passt zusammen? Finde die Paare.

1 Mode ist ein Experiment.
2 Mode ist besser, wenn sie nicht zu kompliziert ist.
3 Individuell sein ist wichtig.

You might not know all the words but see if you can work out what the quotes mean.

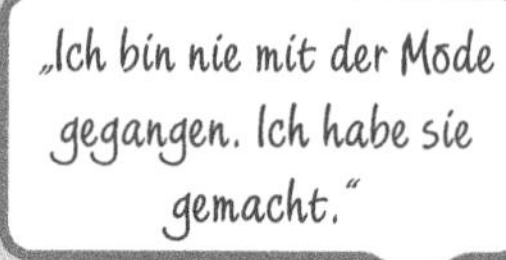

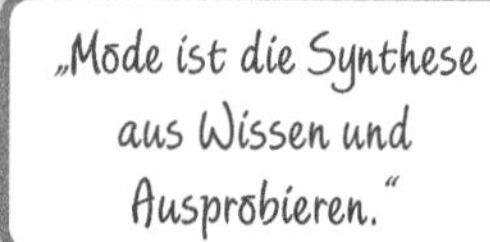

Mies van der Rohe, Architekt und Designer

Pierre Cardin, Modedesigner

Vivienne Westwood, Modedesignerin

Hör zu und lies.

Tracht im Trend

Tracht ist traditionelle Kleidung. In Süddeutschland, Österreich und in der Schweiz sind Dirndl und Lederhosen traditionelle Tracht.

Ein Dirndl ist ein Kleid. Das Oberteil ist eng, tief ausgeschnitten und hat Schnürung. Darunter trägt man normalerweise eine weiße Bluse. Dazu trägt man einen weiten Rock und eine Schürze.

Eine Lederhose ist eine kurze Hose aus Leder. Sie hat auch Hosenträger. Dazu trägt man normalerweise ein Hemd. Im Foto sieht man ein rot und weiß kariertes Hemd.

Heute sind Dirndl und Lederhose wieder voll im Trend. Sie sind ziemlich „hipp", besonders als Partykostüme.

die Tracht = traditional clothing
tief ausgeschnitten = low-cut
die Schnürung = lacing
die Schürze = apron
aus Leder = made of leather
die Hosenträger = braces

Gruppenarbeit. Wie findest du das Dirndl? Und die Lederhose? Sag deine Meinung.

- *Wie findest du (das Dirndl)?*
- *Ich mag (das Dirndl) nicht, weil es (altmodisch) ist.*
- *Ja, aber ich mag (die Farbe) und (die Schnürung).*
- *Es ist (vielleicht OK für eine Party).*

Wähl ein Bild aus. Beschreib die Kleidung.

Er/Sie	trägt	einen langen Rock/eine schmale Hose/ein schönes Kleid.
Der Rock Die Hose Das Kleid	ist	aus Baumwolle/Wolle/Leder. 100 % Baumwolle, ...
Der Stil Der Look	ist	klassisch, locker, sportlich, (alt)modisch, schick, traditionell, ...

Hör dir die Interviews an. Was tragen Tanja und Timo? Zeichne die Kleider. Schreib auf, welche Farbe die Kleidung hat (oder mal sie aus).
Listen to the interviews. What are Tanja and Timo wearing? Draw the clothes. Note what colour the clothes are (or colour them in).

Partnerarbeit. Tauscht die Bilder aus Aufgabe 5. Was tragen sie? Beschreib die Bilder.

Zeichne die Kleidung für eine Modenschau. Schreib eine kurze Beschreibung. Beschreib den Stil, die Farben und den Stoff (Leder, Wolle, ...).
Beispiel: Das Model trägt einen klassischen schwarzen Mantel ...

As well as using language from exercise 4, use a dictionary to find different adjectives. Remember to add the correct endings if you use them in front of the noun.

Gruppenarbeit. Du machst die Kommentare für die Modenschau. Beschreib die Kleidung von deinem Partner/deiner Partnerin.

Hier ist Daniel. Er trägt eine weite, dunkelblaue Jeanshose, ein hellblaues T-Shirt und eine schwarze Jacke. Er trägt auch Sportschuhe, eine rote und blaue Kappe und eine Sonnenbrille. Die Jeanshose und das T-Shirt sind 100 % Baumwolle, und die Jacke ist aus Leder. Der Look ist locker aber schick, perfekt für eine Party.

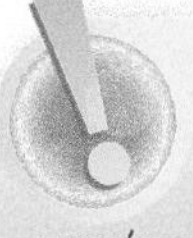

Try to work out unfamiliar words by comparing the text and the picture. If you're still unsure, look them up in a dictionary.

Ich liebe Ferien!

Lies das Gedicht. Füll die Lücken aus.

heiß | Wind | Januar | Winter | Oktober | Juli | März | Sommer

Dezember, ______________, Februar
Es ist kalt im ______________
______________, April, Mai
Frühling ist warm nicht ______________
Juni, ______________, August
Im ______________ gibt es viel Sonne
September, ______________, November
Im Herbst – Regen, ______________ und Donner.

Lies das Gedicht noch mal. Wie heißt das auf Deutsch? Schreib es auf.

1 sun
2 spring
3 rain
4 autumn
5 warm
6 thunder

Was hast du gemacht? Schreib sechs Sätze auf. Wähl das richtige Verb aus dem Kasten aus.

Beispiel: **1** Ich bin windsurfen gegangen.

1 
2 
3 

4 
5 
6 

Ich habe eine Radtour ...
Ich habe meine Freunde ...
Ich habe in einer Jugendherberge ...
Ich habe Volleyball ...
Ich bin windsurfen ...
Ich habe viel Fisch ...

wohnen | sehen | essen | gehen | spielen | machen

Lies die Fragen und wähl die richtige Antwort aus.

Beispiel: **1** b

1 Wohin bist du gefahren?
  a Ich wohne in England.
  b Nach Spanien.

2 Wie bist du gefahren?
  a Ich bin geflogen.
  b Ich bin in die Stadt gegangen.

3 Mit wem bist du gefahren?
  a Ich bin mit meiner Familie gefahren.
  b Ich habe bei Freunden gewohnt.

4 Wo hast du gewohnt?
  a Ich wohne in einem Hotel.
  b Ich habe auf einem Campingplatz gewohnt.

5 Was hast du gemacht?
  a Ich mache meine Hausaufgaben.
  b Ich bin an den Strand gegangen.

6 Wie war das Wetter?
  a Es ist sonnig.
  b Es hat geregnet.

Beschreib einen Winterurlaub. Wähl eine Aufgabe aus.

Describe a winter holiday. Choose a task.

1 Beantworte die sechs Fragen in Aufgabe 4 und schreib sechs Sätze.
2 Schreib einen Absatz.
3 Schreib ein Gedicht.

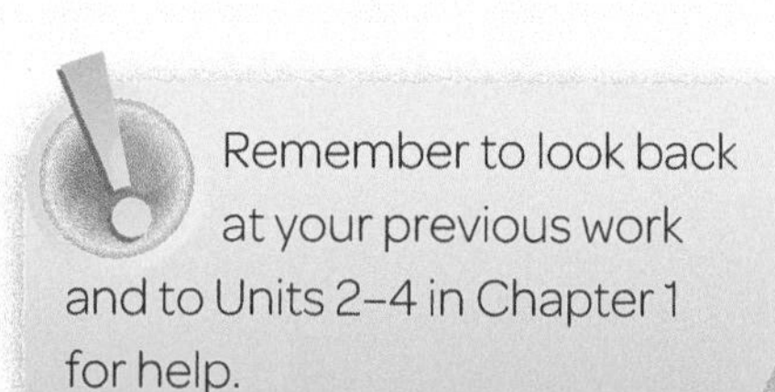
Remember to look back at your previous work and to Units 2–4 in Chapter 1 for help.

Ich liebe Ferien!

Lies den Text. Schreib die Tabelle ab und notiere für jede Kategorie Details auf Englisch.
Read the text. Copy the table and note as many details for each category as you can in English.

Bad Hersfeld ist eine kleine Stadt in der Mitte von Deutschland. Es gab dort früher nicht viel Industrie, aber heute gibt es ein großes Amazon-Zentrum. Die Stadtmitte ist ziemlich schön und historisch. Früher waren die Geschäfte nicht modern, aber jetzt gibt es ein neues Einkaufszentrum. Es gibt einen Marktplatz und viele gute Restaurants. Es gibt auch eine große Kirchenruine. Dort gibt es seit 1951 im Sommer die Festspiele, das heißt Musik und Theater für die ganze Familie. Bad Hersfeld hatte früher nicht viel Tourismus, aber heute besuchen jedes Jahr fünfzehntausend Touristen die Festspiele.

General information	
Industry	
The town centre	
Shops	
The summer festival	
Tourism	

seit = since

Schreib diese Sätze im Imperfekt auf.
***Beispiel:* 1** Die Stadt war klein.

1. Die Stadt ist klein.
2. Es gibt keinen Marktplatz.
3. Die Stadt hat nicht viele Sportanlagen.
4. Die Geschäfte sind nicht modern.
5. Es gibt keine Skatehalle.
6. Die Stadtmitte hat keine Restaurants.

Lies den Text und sieh dir die Bilder an. Was ist die richtige Reihenfolge?
Beispiel: c, ...

Katastrophe!

Letztes Jahr sind wir nach Holland gefahren. Wir sind mit dem Schiff gefahren, aber das Wetter war sehr schlecht. Es hat gedonnert und geblitzt und ich war sehr krank! Im Hotel war es nicht viel besser. Das Zimmer war sehr klein und kalt und es gab kein WLAN! Das Hotel hatte kein Schwimmbad und auch kein Restaurant. Wir sind in die Stadt gegangen, aber es gab nur eine Imbissstube. Unten im Hotel gab es eine Disko und die Musik war viel zu laut. Wir haben nicht viel geschlafen und am nächsten Morgen sind wir nach Hause gefahren.

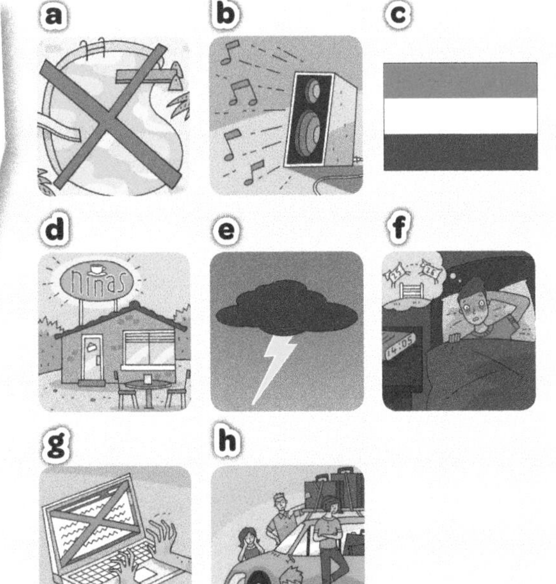

krank = ill
WLAN (*pronounced* Wehlahn) = wifi

Du hast letztes Jahr im Lotto gewonnen und du hast deinen Traumurlaub gemacht. Schreib eine E-Mail über den Urlaub. Beschreib:

- Wohin bist du gefahren?
- Wie bist du gefahren?
- Mit wem bist du gefahren?
- Wo hast du gewohnt?
- Was hast du gemacht?
- Wie war das Wetter?
- Was war deine Meinung über den Urlaub?

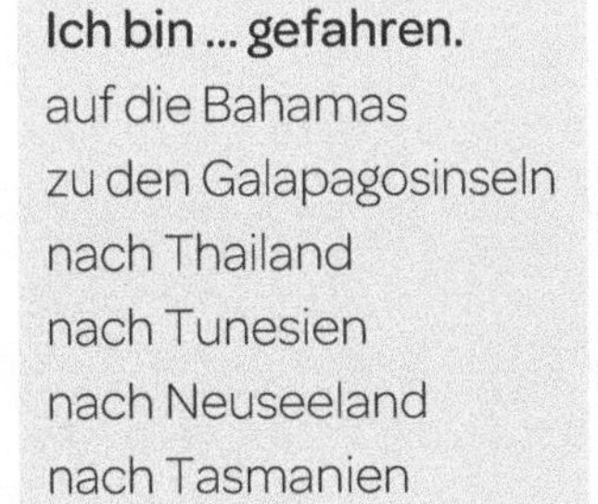
Ich bin ... gefahren.
auf die Bahamas
zu den Galapagosinseln
nach Thailand
nach Tunesien
nach Neuseeland
nach Tasmanien

2 EXTRA A Bist du ein Medienfan?

Schreib den Film oder die Fernsehsendung richtig auf. Was passt zusammen? Finde die Paare.
Beispiel: **1** der Horrorfilm – c

1 red floorrrHim
2 eeni moKideö
3 nie chinZitfreemilck
4 ide rugSnotspend
5 inee preenSofie
6 edi chaNtchiner

a 
b 

c 
d 
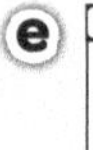
e 
f 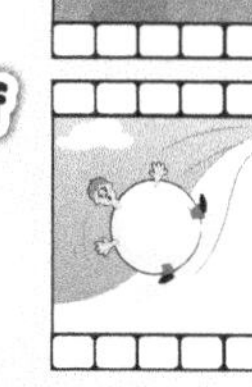

Schreib das Blog ab und vervollständige es.

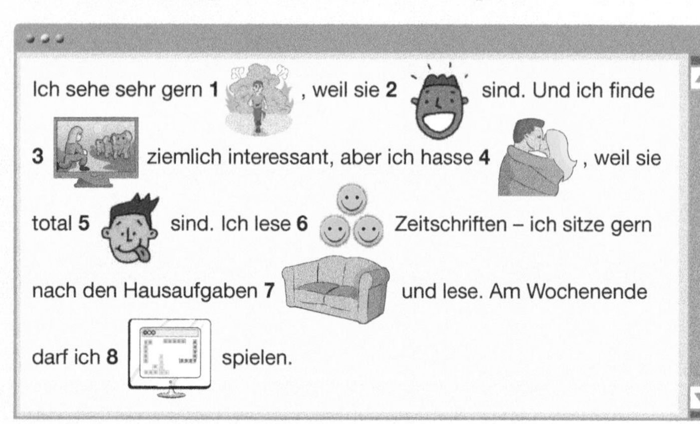
Ich sehe sehr gern **1** [picture], weil sie **2** [picture] sind. Und ich finde **3** [picture] ziemlich interessant, aber ich hasse **4** [picture], weil sie total **5** [picture] sind. Ich lese **6** [picture] Zeitschriften – ich sitze gern nach den Hausaufgaben **7** [picture] und lese. Am Wochenende darf ich **8** [picture] spielen.

Lies die Texte. Schreib die Steckbriefe ab und füll sie auf Englisch aus.

Nele: Ich lese gern Sachbücher, aber ich hasse Comics. Ich sehe lieber fern und am liebsten sehe ich Seifenopern. Ich verbringe drei bis vier Stunden pro Tag vor dem Bildschirm.

Marcel: Ich lese nicht gern Biografien, weil sie blöd sind, aber ich spiele gern auf dem Handy. Ich schicke lieber E-Mails und ich verbringe nicht mehr als drei Stunden pro Tag vor dem Bildschirm. Am liebsten lese ich Fantasy-Bücher im Bett.

Name: *Nele* ....
Likes: ....
Doesn't like: ....
Prefers: ....
Most likes: ....
Screen time: ....

Name: *Marcel* ....
Likes: ....
Doesn't like: ....
Prefers: ....
Most likes: ....
Screen time: ....

Sieh dir Selimas Steckbrief an. Schreib einen Text für sie auf.
Beispiel:

Selima: Ich sehe gern …, aber …

Name: *Selima* ....
Likes: *sports programmes* ....
Doesn't like: *comedies* ....
Prefers: *reading comics* ....
Most likes: *reading on the sofa* ....
Screen time: *2–3 hours a day* ....

Bist du ein Medienfan?

Schreib sechs Sätze mit Wörtern aus jedem Kasten. Dann schreib die Sätze auf Englisch auf.

Ich will	eine Komödie	aktiv sein.
Meine Schwester will	eine Seifenoper	draußen spielen.
Ich darf	nur am Wochenende	fernsehen.
Mein Bruder darf	öfter	gucken.
Ich sollte	Zeitschriften	lesen.
Man sollte	zwei bis drei Stunden pro Tag	sehen.

Lies den Text und wähl die richtige Antwort aus.

Du kannst eine spannende Nacht im Technischen Museum für 2 Personen gewinnen!

Hallo,

du willst eine spannende Nacht im Technischen Museum in Wien verbringen? Wo liest du dein Lieblingsbuch am liebsten? Im Garten, im Bus oder gemütlich auf dem Sofa? Mach ein Foto von dir an deinem liebsten Leseplatz und schicke es einfach an junior@wissenschaftsbuch.at. Du kannst folgenden tollen Preis gewinnen:

Es gibt zwei Camp-In im Technischen Museum zu gewinnen. Verbringe eine Nacht mit Schlafsack und Taschenlampe im Technischen Museum. Nähere Infos findest du unter: http://www.technischesmuseum.at/event/camp-in-1.

DU darfst sagen, wer gewinnt! Einfach bei deinem Lieblingsfoto im Internet auf „gefällt mir" klicken oder unter dem besten Foto auf unserem Blog einen Kommentar hinterlassen. Das Foto, das ihr am liebsten seht, gewinnt!

Ich bin schon sehr gespannt, wo du am liebsten liest und freue mich auf dein Foto!

Euer Bastian

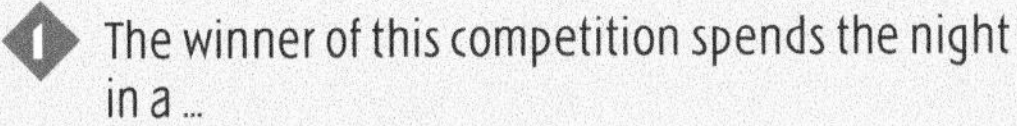

1 The winner of this competition spends the night in a ...
- a camp in Vienna
- b museum in Vienna
- c library in Vienna

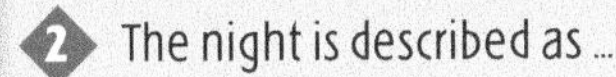

2 The night is described as ...
- a entertaining
- b frightening
- c exciting

3 To enter, you send a photo of ...
- a yourself in your favourite place to read
- b your social network profile picture
- c your favourite science book

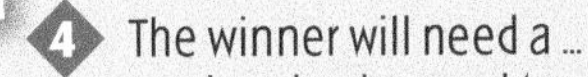

4 The winner will need a ...
- a sleeping bag and torch
- b sofa in the garden
- c book about technology

5 Which two ways can you vote for the winner?
- a Visit the technology museum.
- b Send a text describing the best photo.
- c 'Like' your favourite photo on the social network.
- d 'Comment' below the best photo on the blog.
- e Phone the competition hotline.

When you have an authentic text with unfamiliar vocabulary, don't panic!

- Look for familiar words (or parts of words): ***Schlaf-*** is to do with 'sleep' as in ***Schlafzimmer***.
- Try to apply common sense.
- Use elimination to get to the most likely meaning.
- If all else fails, use a dictionary – but make sure you get the correct meaning if there are several to choose from.

Schreib ein Interview mit dem Gewinner.

Find out:

- where they like reading best
- what they (don't) like to read (and why)
- what types of TV programmes and films they (don't) like to watch (and why)
- how much time they spend in front of a screen.

Schreib die Wörter richtig auf.
Was passt zusammen? Finde die Paare.

1 nötchBer
2 Onefastgran
3 Madelamer
4 nickhenS
5 chücklensFrostküf
6 eehiß cloakedoSh

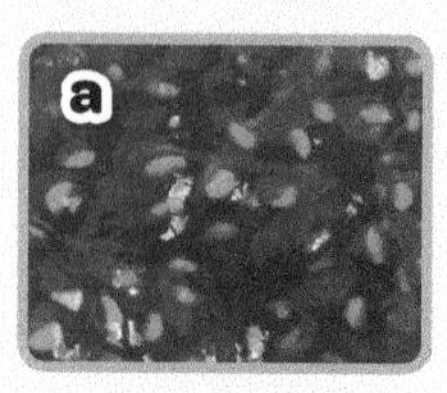

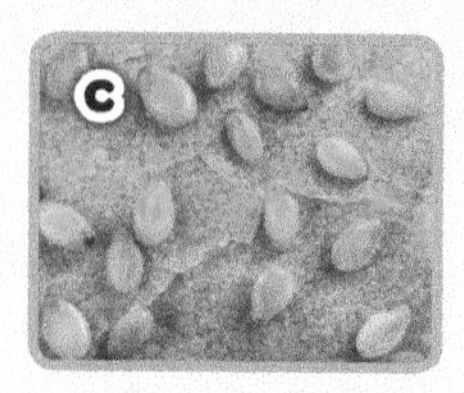

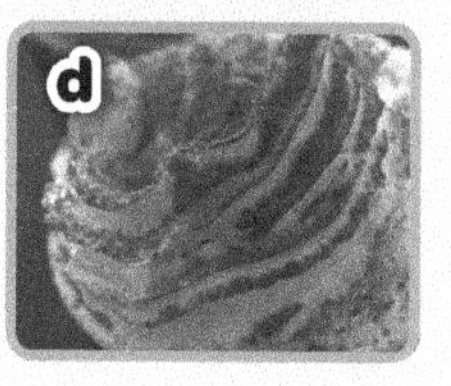

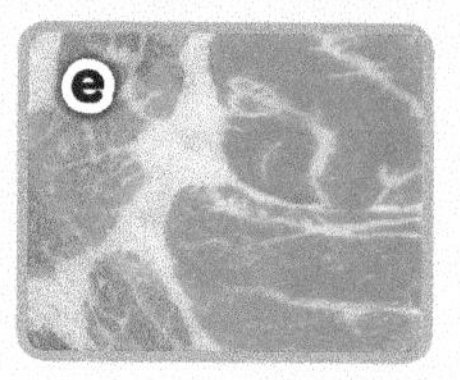

Hier passen die Adjektive nicht! Schreib die Sätze richtig auf.
Beispiel: **1** Ich esse gern Marmelade, weil sie <u>süß</u> ist.

1 Ich esse gern Marmelade, weil sie salzig ist.
2 Ich esse am liebsten Karotten – ich finde sie ekelhaft.
3 Igitt! Sauerkraut ist lecker.
4 Mein Lieblingsessen ist Bratwurst mit Nudeln – das ist so süß.
5 Mmm, heiße Schokolade trinke ich gern, weil sie so scharf ist.
6 Ich esse gern Steak mit viel Pfeffer, weil es vegetarisch ist.

ekelhaft	scharf
heiß	süß
lecker	vegetarisch
salzig	

! You won't need to use all the adjectives, and you can use the same adjective more than once!

Lies das Rezept. Was fehlt im Bild (zwei Sachen)?

Bratkartoffeln mit Speck

Zubereitungszeit: 15 Min.

Einkaufsliste:
5 mittelgroße Kartoffeln, Speck, Zwiebel, Öl

Benötigte Utensilien:
Schneidebrett, scharfes Messer, große Pfanne, Pfannenwender, Esslöffel

Zutaten:	Zubereitung:
5 mittelgroße Kartoffeln	Am Tag zuvor die Kartoffeln kochen. Schälen und in Scheiben schneiden (ca. 0,5 cm dick).
4 Scheiben Speck 1 Zwiebel 1 Esslöffel Öl	Die Zwiebel in kleine Würfel schneiden. Den Speck klein schneiden. Das Öl in eine große Pfanne geben und stark erhitzen. Dann den Speck, die Zwiebel und die Kartoffelscheiben dazugeben. Die Kartoffeln knusprig braun anbraten.

Mit Salz, Pfeffer und Salat servieren.

Füll die Lücken aus und schreib das Rezept richtig auf.
Beispiel: **1** <u>Nimm</u> fünf Kartoffeln.

Erhitze	Schneide
Kartoffeln	Serviere
Nimm	Speck
Pfanne	Zwiebel

1 ________ fünf Kartoffeln.
Schneide die **2** ________ in Scheiben.
Nimm eine Zwiebel und vier Scheiben **3** ________.
4 ________ die **5** ________ und den Speck in kleine Würfel.
6 ________ Öl in einer Pfanne.
Gib die Zwiebel, den Speck und die Kartoffeln in die **7** ________.
Rühre alles.
8 ________ mit Salz, Pfeffer und Salat.

der Würfel = cube
gib (*from* geben) = put

Bleib gesund!

Schreib die Sätze im Imperativ auf.

Rewrite the sentences using the imperative.

Beispiel: **1** Nimm drei Eier!

1 Du musst drei Eier nehmen.
2 Man muss die Zwiebel klein schneiden.
3 Du musst oft trainieren.
4 Man muss viel Wasser trinken.
5 Man muss alles sehr gut mischen.
6 Du musst früh ins Bett gehen.

Lies den Text und füll die Lücken aus.

Schwimmen ist sein Leben

Matthias Roth ist ein 14-jähriger Schüler aus Hamburg, aber er ist kein normaler Schüler. Er will olympischer Schwimmer werden und sein Training ist schwer. Er **1** ______ jeden Tag um fünf Uhr aufstehen, weil er vor der Schule und auch am Wochenende ins Schwimmbad **2** ______ . Normalerweise **3** ______ er neunzig Minuten, aber manchmal muss er zwei Stunden schwimmen.

Das Essen ist für Matthias sehr **4** ______ – er muss als Schwimmer viel Obst und Gemüse **5** ______ , aber auch Eiweiß (zum Beispiel Fleisch oder Fisch, sein Lieblingsessen) und Kohlenhydrate. (Am liebsten **6** ______ er Nudeln, aber Kartoffeln findet er auch **7** ______ .)

Schlaf ist natürlich wichtig, aber das kann auch ein **8** ______ sein. Matthias muss normalerweise um 21:00 Uhr **9** ______ Bett gehen, dann schläft er acht **10** ______ und ist am Morgen fit für das Training und für die Schule.

Das Leben **11** ______ nicht einfach, aber es macht Spaß und Matthias hat ein klares Ziel: bei den Olympischen Spielen für Deutschland zu **12** ______ .

wichtig | essen | geht | ins | isst | ist | lecker | muss | Problem | schwimmen | Stunden | trainiert

Use context clues to work out what goes in each gap and think about the grammar. What kind of word fits? If it's a verb, what part of the verb is correct?

das Ziel = aim, goal
aufstehen = to get up

Lies den Text in Aufgabe 2 noch mal. Du bist Matthias. Beantworte die Fragen auf Deutsch.

Beispiel: **1** Ich wohne in Hamburg (in Norddeutschland).

1 Wo wohnst du?
2 Um wie viel Uhr musst du aufstehen?
3 Wo trainierst du?
4 Wie lange hast du heute trainiert?
5 Was wirst du morgen essen?
6 Wann musst du im Bett sein?
7 Wie findest du das Training?
8 Was willst du bei den Olympischen Spielen machen?

You can raise the level of your answers by adding more information and giving reasons and opinions. For example, you could imagine what meals Matthias does and does not like; or you could say something about the problems he faces.

You could also ask another question or two to extend the interview.

Klassenreisen machen Spaß!

Wie spät ist es? Schreib es auf.

Beispiel: **1** Es ist zehn nach sieben.

1  **2**  **3**  **4**  **5**  **6** 

Lies die Wegbeschreibungen und sieh dir den Plan an. Wohin gehen sie? Was ist der „Schatz" (a–d)?

Beispiel: **1** zur Imbissstube – c

1 Gehen Sie geradeaus und nehmen Sie die erste Straße links! Gehen Sie an der Kreuzung rechts! Finden Sie ein leckeres Brötchen!

2 Geh geradeaus und an der Ampel rechts! Geh nach rechts, dann nach links und nimm die erste Straße links. Finde einen schwarzen Hut!

3 Nehmt die zweite Straße links, geht nach rechts, dann nach links! Findet eine blaue Fahne.

4 Geh geradeaus und nimm die erste Straße rechts! Nimm die zweite Straße links und geh geradeaus! Geh dann nach links! Finde einen großen Reisebus!

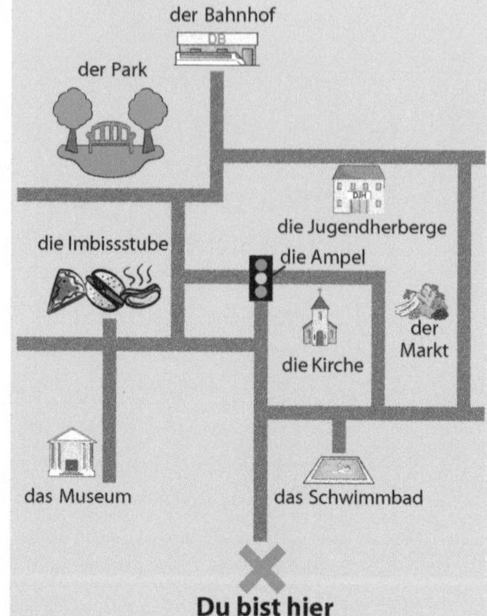

a  **b**  **c** 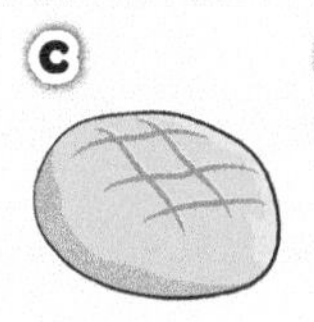 **d** 

Remember to use ***zum*** for masculine and neuter nouns and ***zur*** for feminine nouns.

Lies den Text und beantworte die Fragen auf Englisch.

Mein Tagesablauf

Hallo, ich heiße Sofia. Ich stehe normalerweise um halb sieben auf und dusche mich. Mein Bruder Oskar ist faul – er steht um fünf vor sieben auf und geht schnell ins Badezimmer. Dann zieht er sich an. Wir frühstücken zusammen in der Küche. Wir gehen um halb acht aus dem Haus und kommen um zwei Uhr zurück. Ich muss viele Hausaufgaben machen, dann sehe ich ein bisschen fern. Oskar sieht nicht gern fern, er spielt lieber Computerspiele, aber er darf nicht zu spät spielen. Ich gehe normalerweise um elf Uhr ins Bett und er muss vor zehn Uhr im Bett sein. Jeden Tag müssen wir das Bett machen und das ist fair, aber am Wochenende müssen wir das Zimmer sauber machen. Das finde ich nicht so gut.

1. What does Sofia do after getting up?
2. When does Oskar get up?
3. What happens at half past seven?
4. When do they come home?
5. Who has to be in bed by ten o'clock?
6. What does Sofia not like?

Was machst du an einem normalen Tag? Schreib Sätze auf.

- When do you get up?
- What do you do then?
- When do you leave the house?
- When do you come back?
- What do you have to do at home?

You can raise the level of your writing by using different tenses. For example, you could say what you normally do and add what you did yesterday or will do at the weekend.

Klassenreisen machen Spaß!

EXTRA B 4

1 Schreib die Sätze ab und vervollständige sie.

Beispiel: **1** Man muss vor acht Uhr aufstehen.

1 Man muss  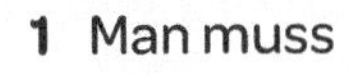

2 Man darf 

3 Man muss 

4 Man darf 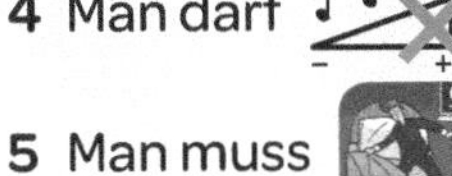

5 Man muss 

6 Man darf

2 Lies Olivers Bericht und sieh dir die Sätze (a–h) an. Was ist die richtige Reihenfolge?

Beispiel: d, ...

Berlin ist total interessant und soooo cool!

Im Juni haben wir eine Klassenfahrt nach Berlin gemacht. Wir sind mit dem Bus gefahren, aber die Fahrt war sehr lang und am ersten Abend waren wir alle sehr müde. Ich habe mich nach dem Abendessen geduscht und bin früh ins Bett gegangen! Wir haben die Klassenfahrt mit den Lehrern geplant. Wir haben keine Stadtrundfahrt mit dem Bus gemacht – unser Lehrer hat eine Radtour in der Stadt organisiert. Das war so interessant, weil wir so viel gesehen haben. Berlin ist eine sehr große, schöne Stadt … und auch sehr grün! Es gibt soooo viele Parks und Wälder. Das habe ich toll gefunden. Abends haben wir bis 21:30 Uhr Freizeit gehabt – wir haben die Sehenswürdigkeiten gesehen und sind in Cafés gegangen. Alles in allem war die Klassenfahrt in Berlin viel zu schnell zu Ende. Sie war nur eine Woche lang, aber wir haben wahnsinnig viel gesehen und gemacht. Wir wollen so eine Klassenfahrt noch mal machen.

Oliver

a What the journey was like
b What surprising thing Oliver really liked
c How long the trip to Berlin lasted
d When Oliver went to Berlin
e What they were allowed to do in the evenings
f Who planned the trip
g What they did instead of a bus tour of the city
h How the class got to Berlin

3 Lies den Bericht noch mal. Mach für jeden Satz Notizen auf Englisch.

Re-read the account. Make notes in English for each sentence.

Beispiel: **a** long and tiring – Oliver went to bed early

4 Schreib einen Bericht über diese Klassenreise.

- *Went to Hamburg in May*
- *Train journey fairly long*
- *Youth hostel good*
- *Teachers organised sightseeing tour*
- *Big, interesting city*
- *Free time until 21.00*
- *Saw and did lots*
- *Want to do trip again*

Include as many of the points as possible. Use the text in exercise 2 to help you and feel free to add anything else that is appropriate.

Lies das Gedicht. Wer ist der Schatz in jeder Strophe?
Read the poem. Who is the beloved in each verse?

1 Grün, grün, grün sind alle meine Kleider,
Grün, grün, grün ist alles, was ich hab'.
Darum lieb' ich alles, was so grün ist,
Weil mein Schatz ein Jäger, Jäger ist.

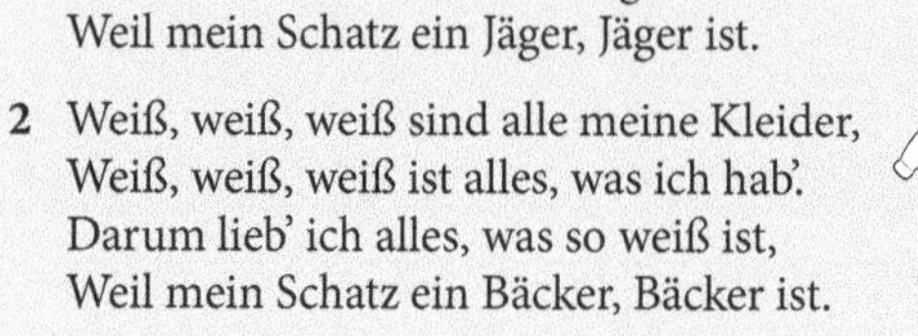

2 Weiß, weiß, weiß sind alle meine Kleider,
Weiß, weiß, weiß ist alles, was ich hab'.
Darum lieb' ich alles, was so weiß ist,
Weil mein Schatz ein Bäcker, Bäcker ist.

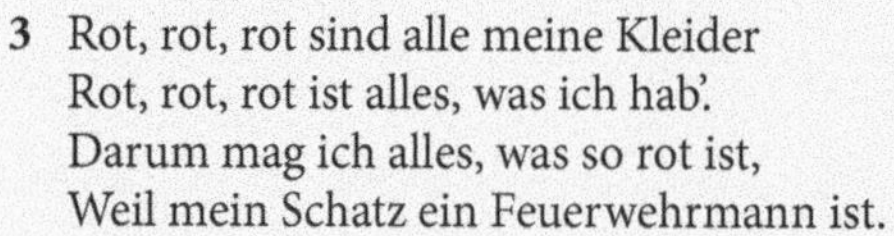

3 Rot, rot, rot sind alle meine Kleider
Rot, rot, rot ist alles, was ich hab'.
Darum mag ich alles, was so rot ist,
Weil mein Schatz ein Feuerwehrmann ist.

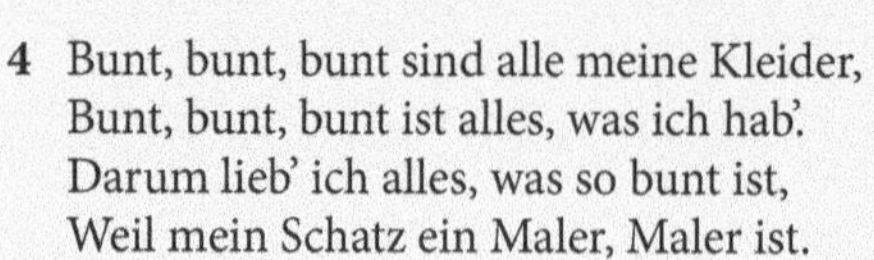

4 Bunt, bunt, bunt sind alle meine Kleider,
Bunt, bunt, bunt ist alles, was ich hab'.
Darum lieb' ich alles, was so bunt ist,
Weil mein Schatz ein Maler, Maler ist.

Sieh dir die Bilder (1–4) im Gedicht an. Was trägst du? Schreib vier Sätze auf.

Beispiel: **1** Ich trage ein grünes Hemd und eine grüne Hose.

Lies den Text. Schreib die Tabelle ab und füll sie aus.

Beispiel:

Normalerweise	*Nächstes Wochenende*
1, c, ...	

Mein Stil ist ziemlich sportlich. Wenn ich in die Schule gehe, trage ich normalerweise eine Jeanshose, einen Kapuzenpulli und schwarze Schuhe. Nächstes Wochenende werde ich campen gehen, also werde ich eine Sporthose, ein T-Shirt und Sportschuhe tragen.

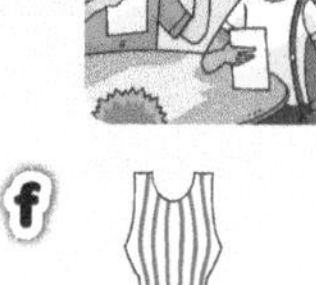

Sieh dir die Bilder noch mal an. Schreib einen Text für jede Person auf.

Beispiel:

Ich heiße Tobias. Mein Stil ist sehr sportlich. Wenn ich wandern gehe, trage ich normalerweise Sporthose und ... Nächstes Wochenende werde ich ...

	Stil	*Normalerweise*	*Nächstes Wochenende*
Tobias	*sportlich*	*3 k, e*	*2 c, d*
Sandra	*trendig*	*1 l, j, i*	*5 f, h*
Emily	*lässig*	*2 c, a*	*5 l, g*
Alexander	*klassisch*	*5 b, j, i*	*6 c, j, e*

Check your word order after ***wenn***, time expressions and other conjunctions:

Wenn *ich auf Partys* ***gehe, trage*** *ich normalerweise ...* When I go to parties I usually wear ...

And don't forget to check spelling and capital letters carefully too!

Wir gehen aus

Lies den Text und sieh dir die Bilder an. Was ist die richtige Reihenfolge?

Samira

Letzten Freitag bin ich zu Leonies Party gegangen. Ihre Familie hat ein neues Haus und wohnt jetzt in Pinneberg. Das Haus ist fantastisch, weil das Dekor ganz modern und alles schwarz-weiß ist. Ich habe meine neue, superschmale Jeanshose, ein rosa T-Shirt und meine Ballerinaschuhe getragen.

Meine Freunde Annika, Stefan und Robin waren da. Annika ist immer trendig; sie hat ein buntes Minikleid und schwarze Stiefel getragen. Stefan ist sportlich und lustig. Er hat Skateboard-Tricks gemacht – das war cool!

Leonies Mutter hat Lasagne gekocht, die lecker war. Wir haben Punsch getrunken, und als Nachspeise gab es Schokoladentorte mit Sahne. Ich habe sehr viel gegessen!

Robin und ich haben getanzt. Er ist sehr nett, aber ein bisschen schüchtern, also hat er nicht viel gesagt. Das war kein Problem, weil die Musik so laut war. Mein Vater hat mich um halb zwölf abgeholt. Zu Hause bin ich direkt ins Bett gegangen, weil ich so müde war.

Nächsten Samstag habe ich mein erstes Date mit Robin! Wir werden ins Kino gehen und danach werden wir mit Annika, Stefan und Leonie Pizza essen. Das wird toll sein!

a 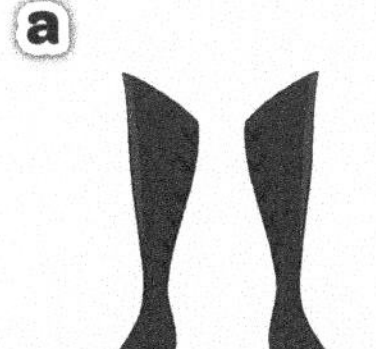

b 

c 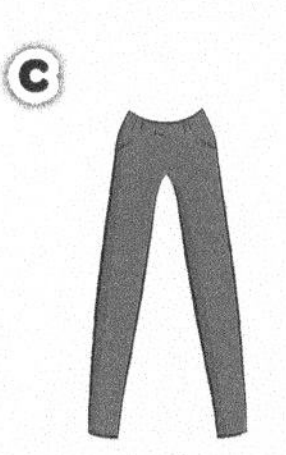

d 

e 

f 

g 

Lies den Text in Aufgabe 1 noch mal. Wer oder was ist das? Schreib es auf Englisch auf.

***Beispiel:* 1** the music

1 loud	**3** modern	**5** shy	**7** fashionable	**9** colourful
2 great	**4** tired	**6** sporty	**8** delicious	**10** funny

Lies den Text in Aufgabe 1 noch mal. Schreib sechs Sätze auf.

***Beispiel:* 1** Samira hat viel Schokoladentorte gegessen.

1 Schokoladentorte	**4** zu Hause
2 schwarze Stiefel	**5** nächsten Samstag
3 Robin und Samira	**6** Pizza

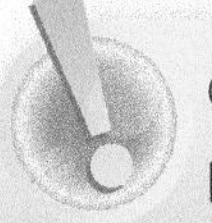

Questions 1–4 refer to the party last Friday but questions 5 and 6 refer to next weekend.

Schreib über eine Party.

- Wann und wo war die Party?
- Was hast du getragen?
- Was hast du gegessen und getrunken?
- Wie war die Musik?
- Was hast du dort gemacht?
- Was wirst du nächstes Wochenende machen?

You can be whoever you like – a celebrity, an historical figure or even an animal. Use your imagination!

Verbtabellen

The present and perfect tenses

1 Regular verbs

Infinitive	Present tense		Perfect tense
wohnen to live	ich wohne du wohnst er/sie/es/ man wohnt	wir wohnen ihr wohnt Sie wohnen sie wohnen	ich habe gewohnt
arbeiten to work	ich arbeite du arbeitest er/sie/es/ man arbeitet	wir arbeiten ihr arbeitet Sie arbeiten sie arbeiten	ich habe gearbeitet

Some regular verbs (like ***arbeiten***) add an extra **e** to make them easier to say.

2 Irregular verbs

Infinitive	Present tense		Perfect tense
haben to have	ich habe du hast er/sie/es/ man hat	wir haben ihr habt Sie haben sie haben	ich habe gehabt
sein to be	ich **bin** du **bist** er/sie/es/ man **ist**	wir **sind** ihr **seid** Sie **sind** sie **sind**	ich **bin** **gewesen**

Infinitive	Present tense		Perfect tense
essen to eat	ich esse du isst er/sie/es/ man isst	wir essen ihr esst Sie essen sie essen	ich habe gegessen
fahren to go, drive	ich fahre du fährst er/sie/es/ man fährt	wir fahren ihr fahrt Sie fahren sie fahren	ich **bin** gefahren
finden to find	ich finde du findest er/sie/es/ man findet	wir finden ihr findet Sie finden sie finden	ich habe gefunden
geben to give	ich gebe du gibst er/sie/es/ man gibt	wir geben ihr gebt Sie geben sie geben	ich habe gegeben
gehen to go (on foot)	ich gehe du gehst er/sie/es/ man geht	wir gehen ihr geht Sie gehen sie gehen	ich **bin** gegangen
lesen to read	ich lese du liest er/sie/es/ man liest	wir lesen ihr lest Sie lesen sie lesen	ich habe gelesen
nehmen to take	ich nehme du nimmst er/sie/es/ man nimmt	wir nehmen ihr nehmt Sie nehmen sie nehmen	ich habe genommen
sehen to see	ich sehe du siehst er/sie/es/ man sieht	wir sehen ihr seht Sie sehen sie sehen	ich habe gesehen
tragen to wear	ich trage du trägst er/sie/es/ man trägt	wir tragen ihr tragt Sie tragen sie tragen	ich habe getragen
vergessen to forget	ich vergesse du vergisst er/sie/es/ man vergisst	wir vergessen ihr vergesst Sie vergessen sie vergessen	ich habe vergessen

3 The perfect tense with *sein*

Some verbs – usually involving movement from one place to another – form the perfect tense with **sein**, not **haben**:

gehen (to go) – ***ich bin gegangen***
fahren (to go, drive) – ***ich bin gefahren***
kommen (to come) – ***ich bin gekommen***
bleiben (to stay) – ***ich bin geblieben***
aufstehen (to get up) – ***ich bin aufgestanden***.

Modal verbs

Modal verbs are irregular, so you need to learn them.

können to be able to, can	ich **kann** du **kannst** er/sie/es/man **kann**	wir könn**en** ihr könn**t** Sie könn**en** sie könn**en**
müssen to have to, must	ich **muss** du **musst** er/sie/es/man **muss**	wir müss**en** ihr müss**t** Sie müss**en** sie müss**en**
dürfen to be allowed to	ich **darf** du **darfst** er/sie/es/man **darf**	wir dürf**en** ihr dürf**t** Sie dürf**en** sie dürf**en**

wollen to want to	ich **will** du **willst** er/sie/es/man **will**	wir woll**en** ihr woll**t** Sie woll**en** sie woll**en**
sollen should, ought to	ich **sollte** du **solltest** er/sie/es/man **sollte**	wir sollt**en** ihr sollt**et** Sie sollt**en** sie sollt**en**

Separable verbs

Infinitive	Present tense		Perfect tense
fernseh**en** to watch TV	ich seh**e** … fern du **siehst** … fern er/sie/es/man **sieht** … fern	wir seh**en** … fern ihr seh**t** … fern Sie seh**en** … fern sie seh**en** … fern	ich habe fern**ge**seh**en**

Reflexive verbs

Infinitive	Present tense		Perfect tense
sich wasch**en** to get washed	ich wasch**e** mich du wä**schst** dich er/sie/es/man wäsch**t** sich	wir wasch**en** uns ihr wasch**t** euch Sie wasch**en** sich sie wasch**en** sich	ich habe mich **ge**wasch**en**

The imperfect tense

Infinitive	Imperfect tense	
haben	hatte/hatten	had
sein	war/waren	was/were
es gibt	es gab	there was/were

The future tense

Present tense of werden		+ an infinitive
ich werd**e** du **wirst** er/sie/es/man **wird**	wir werd**en** ihr werd**et** Sie werd**en** sie werd**en**	fahren spielen arbeiten etc.

Strategie 1

How do you know if you really know a word? Ask yourself:

1. **Do I know what it means when I see it?**
2. **Can I pronounce it?**
3. **Can I spell it correctly?**
4. **Can I use it in a sentence?**

Look, Say, Cover, Write, Check

Use these five steps to learn the meaning, pronunciation and spelling of new words.

1. **Look carefully at the word. Close your eyes and try to picture the word in your mind. This uses your visual memory.**
2. **Say the word out loud to yourself. This uses your auditory memory.**
3. **Cover the word – say it and 'see' the word in your mind.**
4. **Write the word out from memory.**
5. **Check your word against the original. Did you get it right? Combining seeing, listening and doing strategies makes memorising more effective.**

Extra: If you find these steps easy, try to create sentences with the new words you learn.

Strategie 2

Cognates

You can use your knowledge of English to help you work out the meanings of German words. Cognates are words that look the same or similar in German and English, and they often mean the same too (but not always!). However, watch out for pronunciation because they usually sound slightly different. Here are some examples of cognates and near-cognates: *Hotel, Arena, Tourismus*.

Compound words

Long words can be difficult to remember, but they are usually made up of shorter ones, so it helps to break down these compound words into more manageable chunks – for example: *Liebes/komödie* (love/comedy = romantic comedy).

Strategie 3

Oft benutzte Wörter

High-frequency words, for example *gern, sehr, wenig*, are words that come up again and again, no matter what you are talking about. All of the *Wörter* pages have a list of these words, but there are many more.

Strategie 4

Memory room

To help you remember vocabulary, try associating it with places in a room, such as your bedroom. In your mind, place the words you want to remember in different parts of the room. For example, to learn breakfast items, you might put *Eier* by your computer, *Milch* on top of the wardrobe, etc. Then you look round the room and say *Eier* when you get to the computer and so on.

Mnemonics

If the spelling of a particular word just doesn't seem to stick, you could invent a mnemonic – a rhyme or saying that sticks easily in your mind. For example:

Snow
Can
Hurt
Noses
Even
If
Tiny

Strategie 5

Using your key phonics words

You learned the key sounds of German in *Stimmt! 1* (see page 133). One good strategy for remembering new words is to group them together with others with the same sound-spelling pattern. For example:

***J**ugendherberge* ➜ ***J**o-**J**o*
***W**ohn**w**agen* ➜ ***W**ild**w**assersport*

Look back at the *Wörter* pages and add to your lists.

German key sounds

Sieh dir das Video auf ActiveTeach an. Hör zu und mach mit. (1–16)
Watch the video on ActiveTeach. Listen and join in.

If your teacher doesn't have ActiveTeach, listen to the audio and make up your own action for each word.

Active learning

Using multiple senses helps us to remember new words for longer. Use sight, sounds and physical actions to boost your memory skills.

Wortschatz (Deutsch–Englisch)

Using the *Wortschatz*

The German–English word lists on the following pages appear in three columns:

- **The first column lists the German words in alphabetical order.**
- **The second column tells you what part of speech the word is (e.g verb, noun, etc.) in abbreviated form.**
- **The third column gives the English translation of the word in the first column.**

Here is a key to the abbreviations in the second column:

adj	adjective
adv	adverb
conj	conjunction
exclam	exclamation
f	feminine noun
m	masculine noun
(pl)	plural noun
npr	proper noun (names of individual people, places, etc.)
nt	neuter noun
pp	past participle
prep	preposition
pron	pronoun
v	verb

The names for the parts of the speech given here are those you are most likely to find in a dictionary. In *Stimmt!* we use different terms for two of these parts of speech. These are:

interrogative = question word

conjunction = connective

A

Abendessen(-)	*nt*	*evening meal*
abends	*adv*	*in the evening*
Abenteuer(-)	*nt*	*adventure*
abholen	*v*	*to collect, pick up*
abwaschen	*v*	*to wash up*
Actionfilm(-e)	*m*	*action film*
alle	*pron*	*all, everyone*
alles	*pron*	*everything*
als	*conj*	*than, as*
altmodisch	*adj*	*old-fashioned*
Ampel(-n)	*f*	*set of traffic lights*
(sich) amüsieren	*v*	*to have fun*
andere	*adj*	*other*
Anfang(¨-e)	*m*	*beginning, start*
ankommen	*v*	*to arrive*
Anrufbeantworter(-)	*m*	*answer machine*
(sich) ansehen	*v*	*to look at yourself*
(sich) anziehen	*v*	*to get dressed*
Anzug(¨-e)	*m*	*suit*
Apfelstrudel	*m*	*apple strudel*
Arbeit(-en)	*f*	*work*
arbeiten	*v*	*to work*
Arena	*f*	*arena*
Aschermittwoch (–e)	*m*	*Ash Wednesday*
auf	*prep*	*on, onto*
aufnehmen	*v*	*to record*
aufregend	*adj*	*exciting*
aufstehen	*v*	*to get up*
aufwachen	*v*	*to wake up*
ausgehen	*v*	*to go out*
ausprobieren	*v*	*to try out*
aussehen	*v*	*to look*
Aussprache	*f*	*pronunciation*
Austauschschüler(-)	*m*	*exchange pupil*
auswählen	*v*	*to choose*
Auszubildende(r) / Azubi(s)	*m*	*apprentice*
Auto(-s)	*nt*	*car*
Autor(-en)	*m*	*author*
Autorin(-nen)	*f*	*female author*

B

backen	*v*	*to bake*
Bäcker(-)	*m*	*baker*
Backform(-en)	*f*	*baking dish*
Badewanne(-n)	*f*	*bathtub*

Bahnhof(¨-e)	m	train station
bald	adv	soon
Banane fahren	v	to go banana boating
bauchfrei	adj	cropped (top)
bauen	v	to build
Bauernhof(¨-e)	m	farm
Baumwolle	f	cotton
beängstigend	adj	frightening
beginnen	v	to begin, start
bekommen	v	to get
benutzen	v	to use
bequem	adj	comfortable
Berg(-e)	m	mountain
Bergbahn(-en)	f	mountain railway
Bergbaumuseum	nt	mining museum
Bergwerk(-e)	nt	mine
Beschreibung(-en)	f	description
besonders	adv	particularly
besprechen	v	to discuss
besser	adj/adv	better
bestehen aus	v	to consist of
besuchen	v	to visit
Bett(-en)	nt	bed
Bettwäsche	f	bed linen
Bewerbung(-en)	f	application
Bewertung(-en)	f	rating
Bildschirm(-e)	m	screen
billig	adj	cheap
Biografie(-n)	f	biography
bis	prep	to, until
(ein) bisschen	pron	a bit
bleiben	v	to stay
Blick(-e)	m	view
blitzen	v	to lighten
blöd	adj	stupid
Bootsausflug(¨-e)	m	boat trip
Bratwurst(¨-e)	f	fried sausage
brauchen	v	to need
Brille(-n)	f	glasses
Brot	nt	bread
Brötchen(-)	nt	bread roll

Brotkrumen	f(pl)	breadcrumbs
Buch(¨-er)	nt	book
buchen	v	to book
bunt	adj	colourful
Bus(-se)	m	bus
Bushaltestelle(-n)	f	bus stop
Butterbrot(-e)	nt	sandwich

C

Campingplatz(¨-e)	m	campsite
Champignon(-s)	m	mushroom
Chef(-s)	m	boss
Chips	m(pl)	crisps
Clique(-n)	f	crowd, gang
Comic(-s)	m	comic

D

danach	adv	afterwards
dann	adv	then
dauern	v	to last
Dekor(-s, -e)	nt	décor
Deo (-s)	nt	deodorant
Dokumentation(-en)	f	documentary
donnern	v	to thunder
doof	adj	stupid
Dorf(¨-er)	nt	village
dort	adv	there
draußen	adv	outside
drehen	v	to shoot (a film)
drucken	v	to print
Dschungel(-)	m	jungle
dunkel	adj	dark
durch	prep	through
dürfen	v	to be allowed to
Dusche(-n)	f	shower
(sich) duschen	v	to have a shower

E

echt	adj	real, genuine
Ei(-er)	nt	egg
einfach	adj	easy, simple
einheitlich	adj	uniform/ standardised
einige	adj	some, a few
Einkaufsbummel(-)	m	shopping trip

Einkaufsliste(-n)	f	shopping list
Einkaufszentrum (Einkaufszentren)	nt nt	shopping centre shopping centre
Einwohner(-)	m	inhabitant
Eiscafé(-s)	nt	ice cream parlour
eiskalt	adj	freezing cold
Eistennis spielen	v	to play ice tennis
Eiweiß(-e)	nt	protein
ekelhaft	adj	disgusting
empfehlen	v	to recommend
eng	adj	narrow, tight
enorm	adj	enormous
Entschuldigung!	exclam	Excuse me!
Erbse(-n)	f(pl)	pea
Erdbeere(-n)	f	strawberry
Erde(-n)	f	earth
Erdnussbutter	f	peanut butter
Erfahrung(-en)	f	experience
erhitzen	v	to heat
erleben	v	to experience
Erlebnis(-se)	nt	experience
erschreckend	adj	frightening
erstens	adv	firstly
erwarten	v	to expect
Essen(-)	nt	food, meal
Esslöffel(-)	m	dessert spoon
etwas	pron	something
europäisch	adj	European

F

Fahne(-n)	f	flag
Fahrgeschäft(-e)	nt	ride (at a funfair)
Fahrkarte(-n)	f	ticket
Fahrt(-en)	f	journey
fantasievoll	adj	imaginative
Fantasybuch(¨-er)	nt	fantasy book
Fantasyfilm(-)	m	fantasy film
Farbe(-n)	f	colour
fast	adv	almost
faszinierend	adj	fascinating
faul	adj	lazy
feiern	v	to celebrate
Ferien	(pl)	holidays
fernsehen	v	to watch TV
fertig	adj	ready
Fest(-e)	nt	festival
Festwagen(-)	m	float (in a parade)
Fett(-e)	nt	fat
Feuerwehrmann(¨-er)	m	fireman
Feuerwerk	nt	firework display
Firma(-en)	f	firm
Fleisch	nt	meat
flexibel	adj	flexible
fliegen	v	to fly
fließend	adj	fluent
Fotoapparat(-e)	m	camera
Französisch	nt	French (language)
frech	adj	cheeky
Freiheitsbeschränkung (-en)	f	limitation to freedom
Freizeitpark(-s)	m	leisure park
(sich) freuen auf	v	to look forward to
Freundlichkeit(-en)	f	friendliness
früh	adj	early
früher	adv	earlier, previously
Frühling(-e)	m	spring
Frühstück(-e)	nt	breakfast
frühstücken	v	to have breakfast
Frühstücksflocken	f(pl)	cereals
furchtbar	adj	awful
Fuß(¨-e)	m	foot
Fußballmannschaft(-en)	f	football team
füttern	v	to feed

G

Gameshow(-s)	f	game show
ganz	adj	whole
gar nicht	adv	not at all
garniert	adj	garnished
Gast(¨-e)	m	guest
Gastgeber(-)	m	host
Gastgeberin(-nen)	f	hostess
geben	v	to give
geboren	pp	born
Gedicht(-e)	nt	poem
Gefühl(-e)	nt	feeling
Gegend(-en)	f	region
gehen	v	to go

Geld(-er)	*nt*	*money*
Gemüse(-)	*nt*	*vegetables*
gemütlich	*adj*	*cosy*
genug	*adv*	*enough*
gepunktet	*adj*	*spotty*
geradeaus	*adv*	*straight on*
Gern geschehen!	*exclam*	*You're welcome!*
Geschäft(-e)	*nt*	*shop*
Geschäftsfrau(-en)	*f*	*business woman*
Geschichte(-en)	*f*	*story, history*
Gespräch(-e)	*nt*	*conversation*
gestern	*adv*	*yesterday*
gestreift	*adj*	*striped*
gesund	*adj*	*healthy*
Getränk(-e)	*nt*	*drink*
gewalttätig	*adj*	*violent*
gewinnen	*v*	*to win*
glauben	*v*	*to believe*
Gleis(-e)	*nt*	*platform*
Glück(-e)	*nt*	*happiness, luck*
glücklich	*adj*	*happy*
Glühwein(-e)	*m*	*mulled wine*
Goldmedaille(-n)	*f*	*gold medal*
Grad(-e)	*m*	*degree*
grillen	*v*	*to barbecue*
Größe(n)	*f*	*size*
Grund(¨e)	*m*	*reason*
Gründer(-)	*m*	*founder*
Grünkohl(-e)	*m*	*green cabbage*
gruselig	*adj*	*creepy*
Gruß(¨e)	*m*	*wish*
gucken	*v*	*to watch*
Gurke(-n)	*f*	*gherkin, cucumber*

H

Hackfleisch	*nt*	*mince*
Hafen(¨)	*m*	*harbour*
Hähnchen(-)	*nt*	*chicken*
halb	*adj*	*half*
Hälfte(-n)	*f*	*half*
Hallenbad(¨er)	*nt*	*indoor pool*
halten	*v*	*to keep*
Handschuh(-e)	*m*	*glove*
hassen	*v*	*to hate*
Hauptspeise(-n)	*f*	*main course*
Hausordnung(-en)	*f*	*house rules*
Hebräisch	*nt*	*Hebrew language*
Heimatstadt(¨e)	*f*	*home town*
heiß	*adj*	*hot*
Hemd(-en)	*nt*	*shirt*
Herbst(-e)	*m*	*autumn*
Herd(-e)	*m*	*cooker, hob*
herzhaft	*adj*	*hearty*
heute	*adv*	*today*
hilfreich	*adj*	*helpful*
Himmel(-)	*m*	*heaven*
historisch	*adj*	*historic*
hoch	*adj*	*high*
Hochspringer(-)	*m*	*high jumper*
Hochsprung	*m*	*high jump*
Hof(¨e)	*m*	*school yard*
hoffen	*v*	*to hope*
hoffentlich	*adv*	*hopefully*
höflich	*adj*	*polite*
Holz	*nt*	*wood*
Horrorfilm(-e)	*m*	*horror film*
Hose(-n)	*f*	*trousers*
Hosenträger(-)	*m*	*braces*
Hotel(-s)	*nt*	*hotel*
Hut(¨e)	*m*	*hat*

I

Idee(-n)	*f*	*idea*
Iglu(-s)	*nt*	*igloo*
Imbissstube(n)	*f*	*snack bar*
immer	*adv*	*always*
immer noch	*adv*	*still*
industriell	*adj*	*industrial*
Ingenieur(-e)	*m*	*engineer*
Insel(-n)	*f*	*island*
Interesse(-n)	*nt*	*interest*

J

Jacke(-n)	*f*	*jacket*
Jäger(-)	*m*	*hunter*
Jahrhundert(-e)	*nt*	*century*
Jeanshose(-n) (Jeans)	*f*	*jeans*

jede	adj	every
jetzt	adv	now
joggen	v	to jog
Joghurt(-s)	m/nt	yoghurt
Jugendherberge(-n)	f	youth hostel

K

Kakerlak(-en)	m	cockroach
kalt	adj	cold
Kanufahren	nt	canoeing
Kapitel(-)	nt	chapter
Kappe(-n)	f	baseball cap
Kapuzenpulli(-s)	m	hoodie
kariert	adj	checked
Karotte(-n)	f	carrot
Karriere(-n)	f	career
Karte(-n)	f	ticket
Kartoffel(-n)	f	potato
Kartoffelpüree(-s)	nt	mashed potato
Käse	m	cheese
Käsespätzle	(pl)	speciality cheese pasta
Katastrophe(-n)	f	catastrophe
kaufen	v	to buy
kein	adj/ pron	no(ne)
kennen	v	to know
kennenlernen	v	to meet, make friends
Kinderarbeit	f	child labour
Kinderbuch(¨-er)	nt	child's book
kindisch	adj	childish, immature
Kirche(-n)	f	church
Kirmes(-sen)	f	funfair
Kirschtorte(-n)	f	cherry cake
kitesurfen gehen	v	to go kitesurfing
Klamotten	f(pl)	clothes
klar	adj	clear
Klassenfahrt(-en)	f	school trip
Klassenkamaraden	m(pl)	classmates
Klassenreise(-n)	f	school trip
Klavier(-e)	nt	piano
Kleid(-er)	nt	dress
Kleider	m(pl)	clothes
Kleidung	f	clothing
klettern	v	to climb
Klo(-s)	nt	loo
knapp	adj	scarce
knusprig	adj	crispy
Kohlenhydrate	nt(pl)	carbohydrates
Kollege(-n)	m	colleague
komisch	adj	funny
Kommentar(-e)	m	comment
Komödie(-n)	f	comedy
kompliziert	adj	complicated
Komponist(-en)	m	composer
können	v	to be able to (can)
kontaktieren	v	to contact
Kopfsalat(-e)	m	lettuce
Kostüm(-e)	nt	costume, outfit
krank	adj	ill
Kreuzung(-en)	f	crossroads
Krimi(-s)	m	crime/detective story
Krokodilfleisch	nt	crocodile meat
Kuchen(-)	m	cake
kurz	adj	short
Küste(-n)	f	coast

L

lachen	v	to laugh
Lage(-n)	f	situation
langsam	adv	slowly
(sich) langweilen	v	to be bored
lassen	v	to leave
lässig	adj	informal
Laterne(-n)	f	lantern
laufen	v	to run
leben	v	to live
lecker	adj	delicious
Leder(-)	nt	leather
Lederhose(-n)	f	leather trousers
legen	v	to put, place
Leichtathletik	f	athletics
leider	adv	unfortunately
lesen	v	to read

letzte	*adj*	*last*
Leute	*(pl)*	*people*
Licht(-er)	*nt*	*light*
lieb	*adj*	*nice, dear*
Liebe(-n)	*f*	*love*
lieben	*v*	*to love*
lieber	*adv*	*rather, preferably*
Liebeskomödie(-n)	*f*	*romantic comedy*
Lieblingsfremdsprache (-n)	*f*	*favourite foreign language*
Lieblingsmarke(-n)	*f*	*favourite brand*
Lieblingsschauspieler(-)	*m*	*favourite actor*
Lieblingsschauspielerin (-nen)	*f*	*favourite actress*
links	*adv*	*left*
locker	*adj*	*casual*
Look(-s)	*m*	*look (fashion)*
lustig	*adj*	*funny*

M

mächtig	*adj*	*powerful*
Mahlzeit(-en)	*f*	*mealtime*
Mal(-e)	*nt*	*time*
Maler(-)	*m*	*painter*
manchmal	*adv*	*sometimes*
Mantel(¨)	*m*	*coat*
Marathonläufer(-)	*m*	*marathon runner*
Markenzwang(¨e)	*m*	*brand pressure*
Markt(¨e)	*m*	*market*
Marmelade(-n)	*f*	*jam*
meckern	*v*	*to nag*
Meer(-e)	*nt*	*sea*
mehr	*adv*	*more*
Messer(-)	*nt*	*knife*
Milch	*f*	*milk*
mindestens	*adv*	*at least*
mischen	*v*	*to mix*
Mitarbeiter(-)	*m*	*co-worker*
mitnehmen	*v*	*to take with you*
Mittagessen(-)	*nt*	*lunch*
Mittagspause(-n)	*f*	*lunch break*
mittelgroß	*adj*	*medium*
modisch	*adj*	*fashionable*
mögen	*v*	*to like*
möglich	*adj*	*possible*
morgen	*adv*	*tomorrow*
morgens	*adv*	*in the morning*
motiviert	*adj*	*motivated*
müde	*adj*	*tired*
Musiker(-s)	*m*	*musician (male)*
Musikerin(-nen)	*f*	*musician (female)*
Musikfest(-e)	*nt*	*music festival*
müssen	*v*	*to have to (must)*
Muttersprache(-n)	*f*	*mother tongue*

N

nach	*prep*	*after*
Nachmittag(-e)	*m*	*afternoon*
Nachname(-n)	*m*	*surname*
Nachrichten	*f(pl)*	*news*
Nachspeise(-n)	*f*	*dessert*
Nachtwanderung(-en)	*f*	*night walk*
nah	*adj*	*near*
nass	*adj*	*wet*
Nationaltag(-e)	*m*	*national day*
neblig	*adj*	*foggy*
nehmen	*v*	*to take, have*
Nerven	*m(pl)*	*nerves*
nervig	*adj*	*annoying*
neulich	*adv*	*recently*
nichts	*pron*	*nothing*
nie	*adv*	*never*
nie wieder	*adv*	*never again*
noch einmal	*adv*	*once again*
noch nicht	*adv*	*not yet*
Nudeln	*f(pl)*	*pasta*
nur	*adv*	*only*
nützlich	*adj*	*useful*

O

Oberteil(-e)	*nt*	*top*
Obst	*nt*	*fruit*
offiziell	*adj*	*official*
öfter	*adv*	*more often*
ohne	*prep*	*without*
ökologisch	*adj*	*ecological*
Öl(-e)	*nt*	*oil*
Orangenmarmelade(-n)	*f*	*marmalade*

Orangensaft(¨-e)	*m*	*orange juice*
originell	*adj*	*original*

P

Packung(-en)	*f*	*packet*
Paradies(-e)	*nt*	*paradise*
Parkplatz(¨-e)	*m*	*car park*
Partnerschule(-n)	*f*	*partner school*
Pass(¨-e)	*m*	*passport*
passend	*adj*	*suitable, appropriate*
passiv	*adj*	*passive*
Pausenbrot(-e)	*nt*	*breaktime snack*
Personal	*nt*	*staff*
Persönlichkeit(-en)	*f*	*personality*
Pfanne(-n)	*f*	*frying pan*
Pfannenwender(-)	*m*	*spatula*
Pfannkuchen(-)	*m*	*pancake*
Pfeffer	*m*	*pepper*
Politiker(-)	*m*	*politician*
Polohemd(-en)	*nt*	*polo shirt*
Pommes Frites	*(pl)*	*chips*
Post	*f*	*post office*
Preis(-e)	*m*	*prize*
pro	*prep*	*per*
produzieren	*v*	*to produce*
profitieren	*v*	*to profit*
putzen	*v*	*to clean*

Q

qualifiziert	*adj*	*qualified*
Quatsch!	*exclam*	*Rubbish!*

R

Rad fahren	*v*	*to cycle*
Radtour(-en)	*f*	*cycle ride*
rauchen	*v*	*to smoke*
realistisch	*adj*	*realistic*
Realityshow(-s)	*f*	*reality show*
Recht(-e)	*nt*	*right*
rechts	*adv*	*right*
Rede(-n)	*f*	*speech*
reden	*v*	*to talk*
Regel(-n)	*f*	*rule*
Regisseur(-e)	*m*	*director*
regnen	*v*	*to rain*
Reis	*m*	*rice*
Reisebus(-se)	*m*	*coach*
reisen	*v*	*to travel*
relativ	*adv*	*relatively*
Rezension(-en)	*f*	*review*
Rezept(-e)	*nt*	*recipe*
Rhythmus (Rhythmen)	*m*	*rhythm*
Rock(¨-e)	*m*	*skirt*
Rodelbahn(-en)	*f*	*toboggan run*
Roman(-e)	*m*	*novel*
romantisch	*adj*	*romantic*
Rösti	*f(pl)*	*hash browns*
ruhig	*adj*	*quiet*
rühren	*v*	*to stir*

S

Sachbuch(¨-er)	*nt*	*factual/non-fiction book*
Sache(-n)	*f*	*thing*
sagen	*v*	*to say*
Sahne	*f*	*cream*
Salatblätter	*nt(pl)*	*salad leaves*
salzig	*adj*	*salty*
Sandale(-n)	*f*	*sandal*
Sängerin(-nen)	*f*	*(female) singer*
Sardelle(-n)	*f*	*sardine, anchovy*
Satz(¨-e)	*m*	*sentence*
sauber	*adj*	*clean*
sauer	*adj*	*sour*
Sauerkraut	*nt*	*pickled cabbage*
schälen	*v*	*to peel*
scharf	*adj*	*spicy, sharp*
Schatz(¨-e)	*m*	*treasure, beloved*
Schatzsuche(-n)	*f*	*treasure hunt*
Schauspieler(-)	*m*	*actor*
Schauspielerin(-nen)	*f*	*actress*
Scheibe(-n)	*f*	*slice*
Schicht(-en)	*f*	*layer*
schick	*adj*	*smart*
schießen	*v*	*to shoot*
Schiff(-e)	*nt*	*boat*
Schinken(-)	*m*	*ham*

Schlafsack(¨-e)	m	sleeping bag
Schlafzimmer(-)	nt	bedroom
schlecht	adj	bad
schließlich	adv	finally
Schlittenfahren	nt	sledging
schmal	adj	slim-leg, skinny
schmecken	v	to taste
(sich) schminken	v	to put make-up on
schmutzig	adj	dirty
Schneeschuh(e)	m	snow shoe
Schneidebrett(-er)	nt	chopping board
schneiden	v	to cut
schneien	v	to snow
schnell	adv	quickly
Schnitzel(-)	nt	pork fillet
Schnürung(-en)	f	lacing
schon	adv	already
schön	adj	beautiful
schrecklich	adj	terrible
schreiben	v	to write
schüchtern	adj	shy
Schuh(-e)	m	shoe
Schuhmacher(-)	m	shoemaker
Schultag(-e)	m	school day
Schürze(-n)	f	apron
schützen	v	to protect
Schwarzwald	npr	Black Forest
schwer	adj	hard
schwimmen gehen	v	to go swimming
Science-Fiction-Film(-)	m	science fiction film
See(-n)	m	lake
Segeln	nt	sailing
sehen	v	to see, to watch
Sehenswürdigkeiten	f(pl)	sights
Seifenoper(-n)	f	soap opera
sein	v	to be
seit	prep	since, for
Seite(-n)	f	page
Sendung(-en)	f	programme
Senf(-e)	m	mustard
Serie(-n)	f	series
servieren	v	to serve
Silbermedaille(-n)	f	silver medal
Sitcom(-s)	f	sitcom
sitzen	v	to sit
Skatehalle(-n)	f	skate hall
skeptisch	adj	sceptical
Ski fahren	v	to go skiing
Skisprung(¨-e)	m	ski jump
Snowtubing machen	v	to go snowtubing
Sofa(-s)	nt	settee, sofa
sofort	adv	immediately
sogar	adv	even
Sohn(¨-e)	m	son
Sommerrodelbahn(-en)	f	dry toboggan run
sonnig	adj	sunny
Soße(-n)	f	sauce
spannend	adj	exciting
Spaß(¨-e)	m	fun
spät	adj	late
später	adj	later
Speck	m	bacon
Speise(-n)	f	dish
Speisekarte(-n)	f	menu
Spezialeffekt(-e)	m	special effect
Spiegel(-)	m	mirror
Spieletester(-)	m	game tester
Spinat	m	spinach
spinnen	v	to joke
Sportanlagen	f(pl)	sporting facilities
Sportler(-)	m	sportsman
Sportschuhe	(pl)	trainers
Sportsendung(-en)	f	sports programme
Sprache(-n)	f	language
Sprecher(-)	m	spokesman
Stadion(-s)	nt	stadium
Stadtrundfahrt(-en)	f	tour of the town
stark	adv	heavily
staunen	v	to be astonished
steinhart	adj	rock hard
stecken	v	to put, stick
Stelle(-n)	f	job
stellen	v	to put
Stellenanzeige(-n)	f	job advert

Stern(-e)	m	star
Stiefel(-)	m	boot
Stil(-e)	m	style
stimmen	v	to be true
Stimmung(-en)	f	atmosphere
Stoff(-e)	m	material
Strand(¨-e)	m	beach
Straße(-n)	f	street
Straßenschild(-er)	nt	road sign
streichen	v	to spread
Streifen(-)	m	stripe
streng	adj	strict
Stück(-e)	nt	piece
studieren	v	to study
Stuhl(¨-e)	m	chair
Stunde(-n)	f	hour
suchen	v	to look for, seek
süchtig	adj	addicted
Suppe(-n)	f	soup
süß	adj	sweet
Süßigkeiten	f(pl)	sweets

T

Tagebuch(¨-er)	nt	diary
Tagesablauf(¨-e)	m	daily routine
täglich	adj	daily
Tanz(¨-e)	m	dance
Tasche(-n)	f	bag
Taschengeld	nt	pocket money
Taschenlampe(-n)	f	torch
Tasse(-n)	f	cup
Teig(-e)	m	pastry, dough, batter
Tennisschläger(-)	m	tennis racket
teuer	adj	expensive
Thunfisch(-e)	m	tuna fish
tief	adj	low, deep
Titel(-)	m	title
Tochter(¨-)	f	daughter
Toilette(-n)	f	toilet
Ton(-e)	m	sound
Tonne(-n)	f	ton
Tor(-e)	nt	gateway, goal
total	adv	totally, absolutely
Tourismus	m	tourism
touristisch	adj	touristy
Tracht(-en)	f	traditional clothing
tragen	v	to wear
trainieren	v	to exercise
Traumurlaub(-e)	m	dream holiday
trendig	adj	trendy
trotzdem	adv	nevertheless
tun	v	to do
Tür(-en)	f	door

U

übel	adj	sick
über	prep	over
überall	adv	everywhere
übernachten	v	to stay overnight
übersetzen	v	to translate
Umwelt	f	environment
Umzug(¨-e)	m	procession, parade
ungefähr	adv	approximately
ungesund	adj	unhealthy
unglaublich	adj	unbelievable
unhöflich	adj	impolite, rude
unrealistisch	adj	unrealistic
Unsinn!	exclam	Nonsense!
unten	adv	downstairs, below
unterhaltsam	adj	entertaining
Unterhaltung	f	entertainment
Unterkunft(¨-e)	f	accommodation
Unterteil(-e)	nt	bottom part
unterwegs	adv	on the road
unvergesslich	adj	unforgettable
Urlaub(-e)	m	holiday

V

Vanillesoße(-n)	f	custard
vegetarisch	adj	vegetarian
verbringen	v	to spend
Vergangenheit	f	past
vergessen	v	to forget
verkaufen	v	to sell
verlassen	v	to leave
verpassen	v	to miss
verstehen	v	to understand

viel	*adj*	*a lot*
viele	*adj*	*lots, many*
vielleicht	*adv*	*perhaps*
Viertel(-)	*nt*	*quarter*
Volksmusik	*f*	*folk music*
von	*prep*	*from*
vor	*prep*	*before, in front*
(im) Voraus	*adv*	*in advance*
Vorname(-n)	*m*	*first name*
Vorsicht!	*exclam*	*Careful!*
Vorspeise(-n)	*f*	*starter*

W

wahnsinnig	*adj*	*incredibly*
Wakeboard fahren	*v*	*to go wakeboarding*
Wald(¨-er)	*m*	*wood, forest*
warten	*v*	*to wait*
(sich) waschen	*v*	*to have a wash*
wegfahren	*v*	*to go away*
Weihnachtsferien	*(pl)*	*Christmas holidays*
Weihnachtszeit	*f*	*Christmas time*
weil	*conj*	*because*
weit	*adv*	*far; wide-leg, baggy*
weiterempfehlen	*v*	*to recommend*
Welt(-en)	*f*	*world*
weltberühmt	*adj*	*world famous*
Weltmeisterschaft(-en)	*f*	*world championship, World Cup*
Weltressourcen	*f(pl)*	*world's resources*
weltweit	*adj*	*worldwide*
wenig	*adj*	*little*
weniger	*adj/adv*	*less, fewer*
wenn	*conj*	*when; if*
Werbespot(-s)	*m*	*advert*
Werbung	*f*	*advertising*
werden	*v*	*will, to become*
wetten	*v*	*to bet*
Wetter	*nt*	*weather*
wichtig	*adj*	*important*
wie	*conj*	*as, like*
wieder	*adv*	*again*
Wildpark(-s)	*m*	*wildlife park*
Wildwassersport	*m*	*wild-water rafting*
windig	*adj*	*windy*
windsurfen gehen	*v*	*to go windsurfing*
wirken	*v*	*to be effective*
Wissen	*nt*	*knowledge*
Wohnwagen(-)	*m*	*caravan*
wolkig	*adj*	*cloudy*
Wolle	*f*	*wool*
wollen	*v*	*to want*
Wort(¨-er, -e)	*nt*	*word*
Wunderland(¨-er)	*nt*	*wonderland*
wunderschön	*adj*	*beautiful*
wünschen	*v*	*to wish*
Würfel(-)	*m*	*cube*

Z

Zahn(¨-e)	*m*	*tooth*
Zauberer(-)	*m*	*magician*
Zeichentrickfilm(-e)	*m*	*cartoon*
Zeit(-en)	*f*	*time*
Zeitschrift(-en)	*f*	*magazine*
Zeitung(-en)	*f*	*newspaper*
Ziel(-e)	*nt*	*aim, goal*
Zigarette(-n)	*f*	*cigarette*
zu	*adv*	*too*
zu	*prep*	*to*
Zubereitungszeit(-en)	*f*	*preparation time*
Zucker	*m*	*sugar*
zuerst	*adv*	*first of all*
Zug(¨-e)	*m*	*train*
zurückkommen	*v*	*to come back*
zusammen	*adv*	*together*
Zutaten	*f(pl)*	*ingredients*
zweitens	*adv*	*secondly*
Zwiebel(-n)	*f*	*onion*

Anweisungen

Beantworte die Fragen (auf Englisch/Deutsch).	*Answer the questions (in English/German).*
Benutze ...	*Use ...*
Beschreib ...	*Describe ...*
Diskutiere ...	*Discuss ...*
Ersetze die unterstrichenen Wörter.	*Replace the underlined words.*
Finde (in den Sätzen) die Fehler.	*Find the mistakes (in the sentences).*
Finde (die Paare).	*Find (the pairs).*
Füll die Lücken aus.	*Fill in the gaps.*
Gruppenarbeit.	*Group work.*
Hör dir (das Interview) an.	*Listen to (the interview).*
Hör noch mal zu.	*Listen again.*
Hör zu (und wiederhole/vergleiche).	*Listen (and repeat/compare).*
Korrigiere ...	*Correct ...*
Lies (den Reim) vor.	*Read (the rhyme) aloud.*
Lies (den Text/die Texte/das Interview).	*Read (the text/the texts/the interview).*
Lies (den Text/die E-Mail) noch mal.	*Read (the text/the email) again.*
Mach Dialoge über ...	*Create dialogues about ...*
Mach ein Interview.	*Conduct an interview.*
Mach eine (kurze) Präsentation.	*Do a (short) presentation.*
Mach Notizen (auf Englisch).	*Make notes (in English).*
Notiere ...	*Note down ...*
Partnerarbeit.	*Pair work.*
Präsentiere ...	*Present ...*
Rate mal.	*Guess.*
Richtig oder falsch?	*True or false?*
Schlag (im Wörterbuch) nach.	*Check (in the dictionary).*
Schreib (den richtigen Buchstaben/die Wörter) auf.	*Write down (the correct letter/the words).*
Schreib (einen Bericht/eine E-Mail).	*Write (a report/an email).*
Schreib ... ab.	*Copy ...*
Schreib die Tabelle ab und füll sie aus.	*Copy and complete the table.*
Sieh dir (die Bilder/das Foto) an.	*Look at (the pictures/the photo).*
Sieh dir den Text noch mal an.	*Look at the text again.*
Sprich die Wörter aus.	*Pronounce the words.*
Sprich über ...	*Talk about ...*
Stell und beantworte Fragen.	*Ask and answer questions.*
Tauscht die Rollen.	*Switch roles.*
Überprüfe ...	*Check ...*
Übersetze ...	*Translate ...*
Verbinde (die Sätze/die Satzhälften/die Wörter).	*Join (the sentences/the sentence halves/the words).*
Vergleiche (die Antworten mit einem Partner/einer Partnerin).	*Compare (your answers with a partner).*
Vervollständige die Sätze.	*Complete the sentences.*
Wähl (eine Person/die richtige Antwort) aus.	*Choose (a person/the right answer).*
Wähl aus dem Kasten.	*Choose words from the box.*
Was ist deine Meinung?	*What is your opinion?*
Was ist die richtige Reihenfolge?	*What is the correct order?*
Was passt zusammen?	*Match the pairs.*
Welcher/Welche/Welches ...?	*Which ...?*
Welche Wörter fehlen?	*Which words are missing?*
Wer/wie/wo/wie viel ...?	*Who/how/where/how much/many ...?*
Wiederhole (Aufgabe 6).	*Repeat (exercise 6).*
Wie heißt das auf Deutsch/Englisch?	*What is it in German/English?*
Wie sagt man ...?	*How do you pronounce ...?*